Boissons saines
ET GOURMANDES

50 recettes végétales et créatives, riches en saveurs et en ingrédients actifs

RECETTES ET PHOTOS DE
MARIE LAFORÊT

sommaire

Ball

introduction

Froides ou chaudes, rafraîchissantes ou revigorantes, les boissons font partie de notre quotidien. Non seulement, elles sont nécessaires à notre hydratation, mais elles sont aussi souvent associées à des moments de détente et de plaisir gustatif.
La majorité des boissons fraîches disponibles dans le commerce sont trop sucrées ou contiennent des additifs comme l'aspartame, de l'acide citrique et des colorants dont certains sont reconnus comme potentiellement cancérigènes. Pourtant, ce sont elles que l'on trouve en masse dans les rayons de nos magasins car elles continuent de représenter un tel marché pour les géants de l'industrie agroalimentaire qu'ils ne sont pas près de lâcher l'affaire, même si la tendance actuelle de l'alimentation saine gagne du terrain. Et d'ailleurs, qui n'a jamais connu la tentation de boire un soda plutôt qu'un simple verre d'eau ? Mais entre l'eau - souvent considérée comme fade et sans attrait - et les boissons sucrées industrielles présentées comme plus « fun », il existe une troisième voie : des boissons faites maison alliant gourmandise et bien-être et que nous pouvons déguster chaque jour..

Grande amatrice de thé et de boissons saines, j'adore glaner au fil de mes voyages et balades de nouvelles idées pour me régaler sans devoir forcément ingérer une grande quantité de sucre, et plus encore, j'aime découvrir des ingrédients qui offrent de vrais bénéfices santé. C'est donc dans cet esprit que j'ai concocté la soixantaine de recettes de cet ouvrage, pour qu'elles vous fassent voyager, envisager de nouveaux horizons et tester des mélanges inattendus. À travers ces boissons qui s'adapteront à tous les moments de l'année, je souhaite proposer des alternatives aux produits vendus dans le commerce, mais également égayer votre quotidien de recettes créatives qui élargissent votre palette gustative. Vous découvrirez ainsi au fil de ces pages que l'eau peut être gourmande, que les jus à base de légumes et les smoothies verts peuvent se révéler délicieux et que l'éventail des boissons chaudes ne se limite pas au thé et au café. Enfin, vous apprendrez à réaliser vous-même des limonades et sodas fruités très peu sucrés qui vous aideront, je l'espère, à faire des boissons industrielles un lointain souvenir.

L'EAU, BOISSON SANTÉ PAR EXCELLENCE

L'eau est la seule boisson indispensable à la vie et à la santé humaines. Notre organisme en est constitué entre 60 et 70 %. Comme une partie est évacuée chaque jour par l'urine, la transpiration, la respiration… nous devons impérativement la renouveler en permanence à travers nos boissons et notre nourriture. Sans un apport suffisant, c'est la déshydratation.

Quelle quantité faut-il boire ?

Les apports en eau doivent remplacer les pertes hydriques quotidiennes. Chez les adultes en bonne santé, il est admis que ces pertes sont généralement de 2 à 2,5 litres. C'est pourquoi on parle souvent d'un nécessaire apport en eau de 2 litres, apport fourni par la nourriture et les liquides. Jusqu'à récemment, on recommandait de boire au minimum 1,5 litre d'eau. Aujourd'hui, on conseille plutôt de boire selon ses envies, la sensation de soif étant l'indicateur que notre organisme a besoin d'être désaltéré. Pour les enfants et les personnes âgées, il convient d'avoir un apport en eau régulier tout au long de la journée car ce signal tend à disparaître avec l'âge et les jeunes enfants sont moins à l'écoute de ce type d'alerte. Bien entendu, il est important de boire plus abondamment après un effort physique et lorsqu'il fait plus chaud. Attention ! Il n'est pas nécessaire de boire préventivement de grandes quantités d'eau, cela peut au contraire avoir des effets indésirables sur l'organisme.

Quelle eau choisir ?

En France, nous avons la chance d'avoir de l'eau potable au robinet, mais selon les régions et les villes, elle sera de qualité différente et filtrée différemment. Toutes les informations utiles sur ce sujet sont disponibles auprès de chaque mairie (c'est une obligation légale). L'eau du robinet a été traitée, elle contient du chlore, mais on peut également y trouver des résidus de pesticides, de médicaments et d'hormones de synthèse. Si le chlore peut être évaporé en laissant l'eau dans une carafe pendant quelques heures ou filtré à l'aide d'une carafe filtrante, les pesticides et traces de médicaments eux ne peuvent être éliminés aussi simplement. Mais de fait, sachez qu'il n'existe pas d'eau « parfaite » ! Il appartiendra donc à chacun de faire le ou les choix qui lui conviennent le mieux.

Petit tour d'horizon des choix qui s'offrent à nous :

Eau du robinet

Potable à 98 % environ en France, elle est globalement considérée de bonne qualité. Si vous n'avez pas de contre-indication médicale à la boire, elle peut être consommée au quotidien. Elle peut néanmoins contenir des traces de produits phytosanitaires (61% des points de mesure d'eaux souterraines en contiendraient). Parfois, communes ou départements peuvent également bénéficier d'une dérogation pour délivrer une eau potable dont les seuils en polluants dépassent les limites autorisées.
La qualité peut également être différente selon la plomberie de l'immeuble ou celle de la maison (attention aux vieilles tuyauteries en mauvais état qui peuvent constituer un risque de contamination chimique ou microbiologique). Dans le doute, on peut consulter le site internet de l'agence régionale de santé de sa région pour obtenir les résultats des analyses faites sur son eau.
En bref : peu chère, de bonne qualité, son goût laisse parfois à désirer et sa qualité est à surveiller.

Eau de source en bouteille

Elle est en moyenne 100 fois plus chère que l'eau du robinet, peu écologique en raison du transport et du plastique utilisé mais réputée comme « pure ». Lors d'une analyse comparative de 47 eaux en bouteille effectuée par *60 Millions de Consommateurs*, des polluants en très faible quantité ont été retrouvés sur 10 marques. Des traces qui ne seraient pas nuisibles pour la santé de l'homme mais qui posent cependant la question de la réelle « pureté » de l'eau en bouteille. En revanche, bonne nouvelle : le PET (ou PETE), ce matériau utilisé dans la fabrication des bouteilles plastique, est quant à lui exempt de bisphénol A et de phtalates.
En bref : chère, peu écologique, mais globalement de bonne qualité.

Carafes filtrantes

Elles représentent une solution économique, pourtant leur efficacité réelle est assez discutable. Les filtres traités à l'aide de sels d'argent peuvent rejeter de l'argent dans une eau qui n'en contient pas à l'origine. Si ces carafes permettent de filtrer le chlore (non toxique et qui peut s'évaporer tout seul en quelques heures), elles filtrent le calcaire et donc également le calcium.
Les filtres des carafes sont également incapables d'éliminer les résidus de pesticides et les nitrates qui sont pourtant ce qui pose le plus de problèmes.
Les tests en « vraies cuisines » donnent des résultats différents de ceux réalisés en laboratoire et mettent en évidence une forte concentration en microbes : en clair, ces carafes sont de potentiels bouillons de culture.

Filtrer le chlore ouvre en effet la porte à la prolifération bactérienne. De quoi faire sérieusement relativiser l'investissement, d'autant que les cartouches sont à changer très régulièrement et demandent à être recyclées.
En bref: efficaces pour rendre un «bon» goût à l'eau en filtrant le chlore, mais potentiellement dangereuses et inefficaces pour filtrer les vrais polluants.

Osmose inverse

C'est la solution la plus efficace mais également la plus chère. L'osmoseur est composé de plusieurs cartouches filtrantes: les premiers filtres à sédiments et charbon actif filtrent les impuretés et le chlore, ensuite intervient le procédé d'osmose inverse qui va permettre de filtrer l'eau en lui faisant franchir une membrane semi-perméable par osmose. Les inconvénients de ce système: le coût qui peut être très élevé (de quelques centaines à quelques milliers d'euros), la maintenance régulière nécessaire et le risque d'une pollution microbiologique de l'eau consommée, en particulier par des largages ponctuels, si la maintenance n'est pas correctement effectuée.
En bref: une véritable filtration qui élimine les pesticides et les polluants, mais assez chère et qui présente un risque minime de contamination par des microbes si l'entretien est mal assuré.

SE MÉFIER DES BOISSONS ET JUS INDUSTRIELS

Le marché est énorme. Mais aujourd'hui, les maladies directement liées à la consommation de boissons sucrées augmentant de façon exponentielle, le regard des consommateurs commence à changer.

Les boissons industrielles

La préoccupation d'une alimentation plus saine, de plus en plus partagée par de nombreux consommateurs, a été largement récupérée comme argument marketing par les vendeurs de boissons sucrées. Preuve en est ces nouveaux sodas aux extraits de plantes ou sucrés à la stévia (en réalité aux glucosides de stéviol obtenus à l'aide de solvant et méthanol...), ces jus aux «superfruits» ou aux extraits de plantes mettant en avant les bienfaits d'ingrédients qui représentent souvent moins de 1% de la composition - quand le sucre, lui, reste largement majoritaire! Si l'on peut trouver quelques boissons vraiment plus saines, moins sucrées et riches en ingrédients bons pour la santé, elles sont souvent uniquement disponibles dans des enseignes spécialisées et leur prix, généralement très élevé (souvent plus de 3€ pour une bouteille individuelle), en fait presque des produits de luxe, pas franchement à la portée de toutes les bourses, ni accessibles aux personnes vivant en dehors des grandes villes.

Les jus de fruits

On en trouve dans tous les supermarchés et épiceries. Si certains affichent fièrement «100% pur jus», les autres sont constitués de concentrés mélangés à de l'eau simple ou additionnée de purée de fruits et de sucre (nectars de fruits). Pour les «pur jus», on distinguera ceux qu'on trouve au rayon frais, qui n'ont pas été pasteurisés, ceux qui seront «flash pasteurisés» (portés très brièvement à haute température) et ceux vendus hors rayon frais qui ont subi une pasteurisation (ont été portés à haute température pendant un certain temps), opération qui aura diminué leur teneur en vitamines (environ 50% de vitamine C en moins) et aura altéré leurs qualités gustatives (le jus d'orange même «pur jus» en brique longue conservation n'a plus vraiment le même goût qu'un jus fraîchement pressé). La pasteurisation permet de détruire les levures naturellement présentes dans les jus et qui provoquent naturellement la fermentation. Ces jus (y compris les 100 % pur jus») peuvent également être clarifiés pour éliminer les particules en suspension responsables de possibles dépôts. Ce procédé fait très souvent appel à de la gélatine pour «coller» les impuretés. Ces jus ne conviennent donc pas à une alimentation végétarienne ou à un mode de vie *vegan*. Malheureusement, le procédé de clarification n'est jamais indiqué sur l'emballage. Certains jus contenant du dépôt (comme le jus de pomme trouble) et les purs jus frais avec pulpe ne sont pas clarifiés.

JUS VS SMOOTHIES

Si vous lisez des articles sur l'alimentation saine vous n'aurez pas manqué de remarquer qu'un match semble faire rage entre les jus et les smoothies. Plus de nutriments pour les uns, plus de fibres et index glycémique moindre pour les autres, la question de savoir lequel est le meilleur pour la santé fait débat. Plutôt que d'essayer de répondre à cette grande question, je préfère me demander plutôt «quels sont les bienfaits de chacun?» Il n'est pas forcément nécessaire de devoir choisir entre jus et smoothies, car les deux peuvent être tout à fait complémentaires et que leur consommation s'inscrira dans une alimentation variée et équilibrée qui apportera d'autres nutriments et fibres au quotidien.

Les jus faits maison

Une très bonne alternative à ceux vendus dans le commerce, non seulement parce qu'ils sont 100 % pur jus et sans pasteurisation, mais aussi parce qu'on peut associer fruits et légumes dans leur préparation. Le jus très concentré ainsi obtenu peut être un vrai plus au quotidien, ajoutant à notre alimentation les nutriments d'une grande quantité de végétaux crus que l'on ne mangerait pas forcément intégralement. Mais les jus, en raison de leur absence de fibres, seront digérés très rapidement, ce qui peut, selon leur composition occasionner un pic de glycémie dans le sang. Pour certaines personnes aux intestins sensibles qui ont des problèmes à digérer les fruits et légumes crus, les jus à l'extracteur seront particulièrement indiqués.

En bref : grande concentration de nutriments, coût assez élevé car on utilise beaucoup d'aliments, à inclure dans une alimentation équilibrée.

Les smoothies

Contrairement aux jus, les smoothies utilisent les fruits et légumes intégralement et contiennent donc des fibres. Ils seront plus longs à digérer et pourront selon les recettes constituer un vrai repas (petit-déjeuner ou goûter) là où les jus seront plutôt dégustés en complément des repas ou comme en-cas. Pour obtenir une même quantité de jus, les smoothies vont utiliser deux fois moins de fruits et légumes, ils coûteront donc deux fois moins cher que les jus pressés à froid. Là aussi, on cherchera à ajouter des légumes pour inclure leurs nutriments et surtout pour faire baisser l'index glycémique du smoothie qui, très riche en fruits, peut être équivalent à celui d'un soda. Tout comme pour les jus, les smoothies sont à inclure dans une alimentation équilibrée et ne remplacent pas les fruits et légumes à consommer au quotidien. Idéalement, il conviendra de prendre le temps de « mâcher » son smoothie, de bien déguster chaque gorgée et de ne pas se contenter de l'avaler rapidement (il en va de même pour les jus), cela permet de mieux les digérer.

En bref : une boisson-repas rassasiante, riche en fruits, légumes et fibres, au coût moins élevé que les jus.

THÉS ET INFUSIONS

Reines des boissons chaudes, les infusions à base de plantes aromatiques et médicinales, mais aussi de feuilles de thé variées, sont des panacées à part entière.

Le thé vert

Si pour lui aussi, on a tendance à exagérer ses vertus thérapeutiques en en faisant une boisson miraculeuse, le thé vert regorge néanmoins de très nombreux bienfaits. Plus que le thé noir, il contient polyphénols et catéchines - antioxydants puissants - en grande quantité.
Une consommation régulière serait notamment bénéfique au système cardio-vasculaire et à la santé osseuse, diminuerait la formation de caries dentaires, limiterait la dégénérescence cognitive chez les personnes âgées et pourrait même aider à protéger le cerveau de certaines maladies dégénératives comme Alzheimer ou Parkinson.

Le thé noir

Il est obtenu à partir de la même plante que le thé vert, mais subit un procédé d'oxydation qui va le rendre plus foncé et plus corsé en goût. Il sera un peu moins antioxydant que le thé vert mais la fermentation qu'il a subie fait qu'il peut se conserver des années (les thés verts eux doivent être consommés rapidement car ils perdent très vite leurs propriétés organoleptiques - stimuli qui se rapportent à la sphère sensorielle : goût, flaveur, odeur).

Autres thés

Le thé blanc est obtenu avec les bourgeons du théier, il est beaucoup plus délicat, son goût sera très doux et subtil et il sera plus fragile (et plus cher aussi). Le thé oolong est semi-fermenté : contrairement au thé noir qui a subi une oxydation/fermentation complète, on arrête sa fermentation à mi-chemin. En termes de quantité d'antioxydants, il se situe entre le thé vert et le thé noir.

Le rooibos

Souvent appelé « thé rouge » ce n'est pas du thé, mais un mélange de feuilles et tiges d'un arbuste d'Afrique du Sud. Son infusion donne une boisson très agréable, ronde et légèrement sucrée. Il est riche en antioxydants, faible en tanins et ne contient pas de théine : on peut donc le déguster en journée comme en soirée. C'est une excellente alternative au thé pour les personnes qui doivent éviter ce dernier en raison d'une sensibilité à la théine ou de calculs rénaux.

Les infusions de plantes aromatiques et médicinales

Véritables remèdes de santé, les infusions permettent de profiter des bienfaits des plantes médicinales qu'elles soient fraîches ou séchées. On choisira donc les plantes selon leurs vertus (digestives, apaisantes, favorisant la circulation, le sommeil, antiseptiques, antidouleurs...) et leurs saveurs, et on pourra également associer plusieurs plantes en synergie, pour décupler leurs effets. Les infusions seront souvent un peu plus longues à préparer, il est nécessaire d'infuser 5 à 10 minutes pour profiter des bienfaits des plantes. Pour certaines, notamment celles dont on consomme l'écorce, on pourra réaliser une décoction : porter l'eau à ébullition dans une casserole et cuire l'infusion 5 à 10 minutes, filtrer puis laisser refroidir. On obtient ainsi une préparation très concentrée en principes actifs.

Quelle eau utiliser ?

En théorie, la meilleure eau pour préparer le thé est celle qui coule naturellement là où le thé a poussé, la notion de terroir étant tout aussi importante dans ce domaine que pour celui du vin. Sachant cela, on peut donc pas mal relativiser le fait de ne pas forcément utiliser la meilleure eau pour préparer son thé. Une eau non chlorée sera idéale en termes de goût, on préférera donc une eau filtrée ou qui a reposé quelques heures. On évitera celles très minéralisées dont le goût fortement marqué aura un impact sur celui de l'infusion obtenue. Certains puristes ne jurent que par l'eau de source, mais son double impact écologique (bouteilles plastiques) et économique (sur le porte-monnaie !) n'est pas négligeable. Finalement, la meilleure eau pour préparer un thé est peut-être celle qui nous permet de faire de ce moment une vraie pause détente, de ne pas chercher à atteindre la perfection, mais plutôt de profiter de l'instant présent.

Quelle température ?

Tous les thés ne s'infusent pas à la même température. Ces températures d'infusions sont généralement indiquées sur l'emballage. Les thés parfumés infuseront en fonction du type de thé utilisé (noir, vert, oolong, thé vert japonais, rooibos...). L'eau ne doit être chauffée qu'une seule fois et ne pas atteindre les 100°C, c'est un peu comme pour le café, « eau bouillue, eau foutue » ! Pour chauffer l'eau à la bonne température, deux solutions : la bouilloire à température variable ou le thermomètre de cuisine à plonger dans l'eau de la casserole. Voici quelques indications générales qui pourront vous être utiles :

TYPE DE THÉ	TEMPÉRATURE D'INFUSION	DURÉE D'INFUSION
THÉS BLANCS	70°C	5 À 10 MIN
THÉS VERTS JAPONAIS	40-80°C SELON LE THÉ	1 À 3 MIN
THÉS VERTS DE CHINE	70-75°C	2 À 5 MIN
THÉS NOIRS	80-95°C	2 À 5 MIN
THÉS OOLONGS	95°C	5 À 7 MIN
ROOIBOS	90°C	5 MIN
INFUSIONS DE PLANTES	95-100°C	5 À 10 MIN

Conseils de dégustation

Il faut laisser l'infusion refroidir un peu avant de déguster pour idéalement atteindre une température de dégustation de 60°C maximum. Boire régulièrement des boissons trop chaudes, voire brûlantes (plus de 70°C), provoque une irritation répétée de la paroi de l'œsophage et serait un important facteur de risque d'y développer un cancer.

PRIVILÉGIER LES VÉGÉTAUX

Toutes les recettes de ce livre sont réalisées à partir d'ingrédients végétaux, riches en nutriments et substances actives bénéfiques pour la santé.

Pourquoi choisir le bio?

L'intérêt des ingrédients bios se situe à plusieurs niveaux. Pour la santé, c'est la garantie d'aliments sans pesticides ni engrais chimiques, lesquels contaminent à petit feu notre organisme. Cancers, maladies neurodégénératives, risques pour le développement du fœtus lors de la grossesse, impact négatif sur la fertilité, un beau programme dont les risques sont multipliés par les autres polluants et produits chimiques que nous rencontrons au quotidien, c'est le fameux « effet cocktail ». L'agriculture biologique protège aussi les agriculteurs des dangers très sérieux que fait peser sur eux l'exposition répétée aux produits phytosanitaires. Enfin, c'est également sur le plan environnemental que le bio présente de nombreux avantages. En effet, les pesticides polluent les sols, les rivières, mais aussi les réserves d'eau potable en infiltrant les nappes souterraines où les eaux sont captées, ils contaminent les écosystèmes, bouleversent un équilibre déjà très fragile et mettent en danger de nombreuses espèces.

Pourquoi éviter les produits laitiers ?

Consommer le lait d'une autre espèce ou les produits qui en sont dérivés n'est pas nécessaire à la santé humaine. L'industrie laitière, poids lourd de l'agroalimentaire, utilise des arguments pseudo-santé pour vanter les bienfaits de ses produits à coups d'études qu'elle subventionne largement... Or aujourd'hui, nous avons le recul nécessaire et des études indépendantes sur lesquelles s'appuyer pour conclure qu'au contraire, consommer 3 produits laitiers par jour n'est non seulement pas nécessaire, mais pas non plus la panacée que l'on nous promet. Une grande majorité de la population adulte mondiale est intolérante au lactose : elle ne le digère tout simplement pas et chez certains, cette intolérance peut causer des problèmes digestifs conséquents. Le lait a en fait un effet protecteur de l'ostéoporose très limité. D'ailleurs, il n'est pas du tout la seule source de calcium puisque de nombreux végétaux en contiennent et que celui-là est parfaitement toléré par nos organismes. Il est également riche en protéines, or notre régime alimentaire occidental en contient déjà trop et l'excès de protéines conduit notamment à... l'ostéoporose. Cherchez l'erreur ! Enfin, l'impact des produits laitiers est avant tout néfaste pour les animaux qui sont exploités pour les produire.
Les animaux élevés dans ce but subissent en effet une vie de souffrances pire que celle des animaux élevés pour leur viande. Inséminations forcées, gestations à répétition, petits arrachés à la naissance, les vaches laitières vivent un véritable calvaire pendant leur courte existence. Alors que leur espérance de vie est d'environ 20 ans, les vaches laitières, devenues moins « productives » et donc moins rentables, après avoir été exploitées de manière intensive, seront conduites à l'abattoir à 4 ou 5 ans. Un fait qui est très peu connu du grand public : ces vaches représentent 80 % de la viande bovine consommée en France. Les produits laitiers sont donc bien loin de la blanche innocence que l'on nous vend.

À SAVOIR AVANT DE COMMENCER...

Pour réaliser les recettes de ce livre, voici quelques conseils d'ordre général à appliquer que je n'ai pas précisés de nouveau sur chaque recette et qui s'appliquent à la cuisine en général.

- Bien laver les fruits et légumes, même ceux qui seront épluchés. Pour les fruits et les légumes bios, les frotter légèrement sous l'eau suffit. Pour les autres, un petit bain dans de l'eau additionnée d'un peu de jus de citron et un léger rinçage permettront de retirer une partie des résidus de pesticides présents sur la peau des végétaux et qui peuvent migrer sur la chair lors de la découpe.
- Bien se laver les mains. Cela semble évident, mais il est toujours bon de le rappeler.
- N'éplucher que lorsque c'est vraiment nécessaire : pour les fruits et légumes bios à la peau fine, pas besoin de le faire, leur peau contient d'ailleurs plein de nutriments dont il serait dommage de se priver. On épluchera les agrumes, les bananes et les fruits ou légumes à la peau trop épaisse ou non bio. Pour les recettes présentées ici, reportez-vous aux instructions, lorsque l'épluchage n'est pas mentionné, c'est qu'il est facultatif (mais rien ne vous empêche d'éplucher si vous le désirez !).
- J'ai le plus souvent indiqué le temps et le mode de conservation des boissons. Pensez que toutes seront à consommer rapidement et à conserver au frais, dans un récipient hermétique. L'oxydation des végétaux mixés et la possible fermentation due aux levures naturellement présentes dans l'environnement font de ces boissons non pasteurisées et sans conservateurs, des produits ultra-frais qui doivent se déguster sans attendre.

1 –

EAUX VITAMINÉES ET INFUSÉES

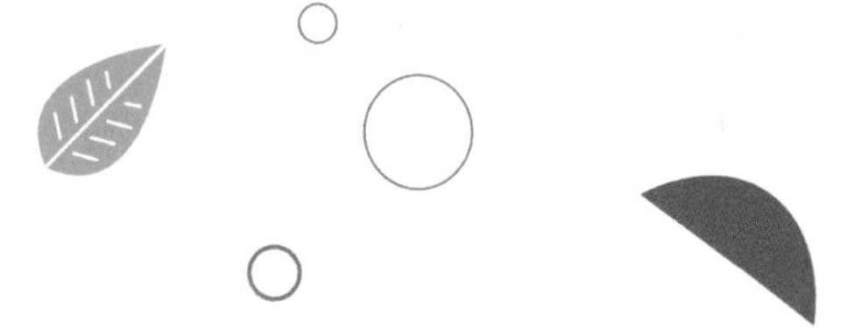

Les eaux infusées de fruits et de plantes, souvent présentées sous le nom « eaux détox » ou « detox waters », ont fait leur apparition il y a quelques années. Depuis, leur popularité ne cesse de grandir. Un succès dû en partie à leur aspect très esthétique et photogénique. Mais au-delà de la tendance et des promesses miraculeuses qu'on leur associe, que nous apportent véritablement ces boissons ?

EN SAVOIR PLUS

Eau vitaminée ou eau infusée?

Les termes pour définir ces eaux varient beaucoup. Personnellement, je différencie les eaux infusées, dans lesquelles on fait infuser à froid des fruits, légumes et plantes aromatiques, des eaux vitaminées, qui sont réalisées en mixant les ingrédients, puis en filtrant le jus obtenu avant de le mélanger à de l'eau. Cette deuxième technique, moins «tendance», a l'avantage de ne pas nécessiter de temps de repos (les fruits et légumes doivent infuser un certain temps pour imprégner l'eau de leurs saveurs) et d'être plus concentrée en vitamines et minéraux puisque les ingrédients sont mixés. Si vous préférez cette technique, vous pouvez tout à fait adapter les eaux infusées en eaux vitaminées en mixant les ingrédients avec un peu d'eau, en filtrant et en mélangeant le jus obtenu avec de l'eau.

Quels ingrédients?

Les ingrédients utilisés pour ces boissons sont des fruits, légumes et plantes aromatiques. Tous apportent des saveurs fraîches et permettent dans le cas des eaux vitaminées d'enrichir l'eau en vitamines et minéraux. On choisira de préférence des ingrédients biologiques : faire tremper des fruits qui concentrent des pesticides en quantité dans de l'eau aura plutôt l'effet inverse de ce que l'on souhaite ici en rendant ces boissons moins saines et plus dangereuses pour la santé. Si vous ne pouvez pas obtenir des ingrédients bios, quelques précautions s'imposent: bien laver les ingrédients, éplucher les agrumes et les légumes et éviter les 12 fruits et légumes les plus contaminés: pêche, pomme, poivron, céleri, nectarine, fraises, cerises, chou frisé, laitue, raisins importés, carotte, poire.

Quels bienfaits?

Loin du discours marketing «détox», je ne vais pas vous affirmer que ces boissons sont miraculeuses. Leur principal intérêt est de nous aider à boire plus d'eau, et c'est déjà pas mal. Nous devons consommer 1,5 à 2 litres de liquide par jour, et plus encore lorsqu'il fait chaud. Pourtant, si on fait le calcul à la fin de la journée du nombre de verres d'eau consommés, on se rend compte qu'on est souvent bien en dessous, même en ajoutant les autres boissons et les liquides contenus dans nos aliments. L'eau est la seule boisson essentielle à la vie humaine, pourtant elle est de plus en plus délaissée au profit de boissons sucrées et aromatisées. Rendre l'eau plus gourmande, avec des ingrédients naturels, sans ajouter de sucre, est donc une super manière de nous inciter à en consommer davantage, et ces jolies boissons colorées peuvent nous y aider. Enfin, dans le cas des eaux vitaminées, elles apportent des vitamines et minéraux et sont une bonne manière d'intégrer quelques fruits et légumes en plus dans nos journées.

CONSEILS

Quelles bouteilles utiliser ?

On peut trouver dans le commerce des bouteilles spécialement dédiées aux eaux infusées, avec un grand filtre très ajouré au centre qui permet d'ajouter facilement quelques morceaux de citron, fraise, concombre, feuilles de menthe et d'embarquer une jolie eau infusée dans le sac.

Les autres contenants

Les grands bocaux en verre de type Mason ou Le Parfait ont l'avantage d'avoir un goulot large, plus idéal que les bouteilles pour ajouter des fruits et pour retirer les morceaux après avoir dégusté la boisson. On peut trouver les pots Mason sur internet, mais également dans certaines boutiques de déco ou d'objets pour la cuisine, et les bocaux Le Parfait dans les supermarchés, bazars ou en ligne. Leur avantage par rapport aux carafes est qu'ils disposent d'un couvercle (ainsi la boisson ne risque pas de se renverser ni de prendre des odeurs dans le réfrigérateur), mais point non négligeable également : leur hauteur leur permet d'être posés sur les étagères de tous les réfrigérateurs, ce qui n'est pas toujours possible avec certaines grandes carafes, et d'être couchés pour prendre moins de place. Enfin, évidemment, les bocaux recyclés ont l'avantage d'être économiques et écologiques.

Pour recycler les fruits

Conserver la pulpe, les morceaux de fruits et de légumes . Vous pourrez les ajouter à une confiture en cours, un smoothie, un jus, un yaourt, un porridge, une compote...

Eaux infusées de printemps

Ces boissons au parfum frais sont idéales pour nous accompagner tout au long des journées printanières et nous hydrater en toute gourmandise. Voici deux recettes à base de fraise, au parfum emblématique de cette saison, pour des boissons acidulées qui s'inviteront également sur nos tables pour recevoir.

EAU FRAÎCHE

POUR 6 VERRES

100 g de fraises équeutées

100 g de concombre

4 beaux brins de menthe fraîche

1,2 litre d'eau

Bien laver les ingrédients. Couper les fraises en 2 si elles sont petites, en 4 si elles sont grosses. Détailler le concombre en fines rondelles à l'aide d'une mandoline ou d'un couteau. Déposer les brins de menthe dans le fond d'une carafe, ajouter les concombres puis les fraises et verser l'eau. Couvrir et laisser infuser plusieurs heures au frais ou à température ambiante s'il ne fait pas trop chaud. Conserver au frais et déguster dans les 12 h (24 h si la boisson est filtrée).

IDÉE +
En été, remplacer la menthe par 1 brin de basilic ou le concombre par de la pastèque

POUR RECYCLER LES INGRÉDIENTS
Mixer avec des tomates et poivrons rouges en été pour un gaspacho gourmand ou avec un peu de lait d'amande, huile d'olive, sel et poivre pour une soupe froide originale, à servir avec des croûtons aillés.

EAU ACIDULÉE

POUR 1,5 LITRE

100 g de fraises

1 petite branche de rhubarbe

1 morceau de 3 cm
de gingembre environ

1,5 litre d'eau

Équeuter les fraises et les couper en tranches.
Couper la rhubarbe en tronçons et le gingembre en petits morceaux.
Déposer les ingrédients dans une carafe ou des bocaux et verser l'eau.
Laisser reposer 1 h minimum pour que les saveurs s'infusent. Déguster dans les 24 h.

IDÉE +
Pour vos repas festifs, faites prendre les feuilles de menthe, les fines tranches de concombre, les morceaux de fraises et l'eau aromatisée (laissez bien infuser quelques heures) dans des bacs à glaçons, à sortir au dernier moment, et à servir généreusement dans de grands verres d'eau ou bocaux Mason.
Décorez de jolies pailles en papier et le tour est joué !

Eaux fruitées d'été

Lorsque l'été est là on doit penser à boire plus encore que le reste de l'année. C'est le moment de miser sur ces eaux fruitées, parfaites pour se désaltérer et éviter les boissons aromatisées et sucrées si tentantes lorsque la chaleur monte. C'est aussi l'occasion de réaliser une eau toute rose infusée aux baies et rehaussée de jus de yuzu, le cédrat japonais à la saveur si délicate, ou de découvrir une autre manière d'utiliser le thym !

EAU ENSOLEILLÉE

POUR 1 LITRE

2 pêches jaunes

1 citron

quelques branches de thym

1 litre d'eau

Couper les pêches et le citron en tranches ou en quartiers.
Déposer dans une carafe, une bouteille ou des bocaux et ajouter quelques branches de thym frais.
Verser l'eau, placer au frais et laisser infuser 30 min à 1 h minimum.
On peut filtrer la boisson au moment de servir et réinfuser une deuxième fois.

IDÉES +
Utiliser d'autres fruits à noyaux tels que les nectarines, prunes ou abricots et variez les herbes en utilisant du romarin ou de la verveine (version fraîche ou séchée).

EAU GOURMANDE

POUR 1 LITRE

30 g de mûres fraîches

30 g de myrtilles fraîches (bleuets)

50 g de framboises fraîches

1 litre d'eau

1/2 à 1 c à c de jus de yuzu (à défaut de jus de citron vert ou de citron)

Bien laver les baies et les écraser au mortier ou à l'aide d'une fourchette.
Verser dans un pichet et ajouter l'eau.
Couvrir et laisser infuser au frais, pendant 15 à 30 min.
Filtrer et ajouter le jus de yuzu.
Conserver au frais dans une bouteille et consommer dans les 24 h.

IDÉES +

Variez les proportions de baies et les fruits utilisés (groseilles, cerises, cassis...) en gardant environ 100 g de baies pour 1 litre de boisson.
Si vous n'avez pas de jus de yuzu, remplacez-le par du citron vert ou du citron jaune, le goût sera différent, mais tout de même très bon.

DÉCO

Servir avec quelques baies fraîches (à croquer) dans le verre pour un effet encore plus gourmand.

Eaux infusées pour l'hiver

Version fraîche pour se désaltérer ou chaude pour se réconforter, ces eaux nous offrent leurs nutriments et saveurs pour se faire du bien pendant l'hiver, saison où l'on oublie souvent de s'hydrater. Sans sucre ajouté mais riches en vitamine C, elles sont les alliées idéales pour rester en forme en attendant le printemps !

EAU ÉNERGISANTE

POUR 1 LITRE

2 c à s de feuilles de citronnelle séchée

2 citrons bergamote (citron beldi)

1 pomme sucrée

1 cm de gingembre frais

1 litre d'eau

Trancher 1 citron bergamote et presser le deuxième, mélanger avec la citronnelle, la pomme et le gingembre tranchés. Verser 1 litre d'eau froide ou frémissante. Temps d'infusion : pour la version froide, 2 h minimum au frais ; pour la version chaude, 10 min. La boisson peut être filtrée avant dégustation.

BON À SAVOIR

Le citron beldi, vendu sous le nom de citron bergamote, est différent de la véritable bergamote et se trouve sur les étals des magasins bio et de certains primeurs en janvier et février. En dehors de cette période, il est très difficile à trouver. Vous pouvez le remplacer par du citron jaune ou de la mandarine, ou un mélange des deux.

EAU DÉLICE

POUR 1 LITRE

3 oranges

2 pommes

1/4 de c à c de cannelle en poudre ou 2 bâtons de cannelle

6 étoiles de badiane

1 litre d'eau

Trancher les oranges et les pommes, ajouter la cannelle et la badiane et verser 1 litre d'eau froide ou frémissante. Temps d'infusion : pour la version froide, 2 h minimum au frais ; pour la version chaude, 10 min. La boisson peut être filtrée avant dégustation.

VARIANTE GOURMANDE POUR NOËL

Infusez les oranges et les épices dans 1 litre de jus de pomme pendant 10 min à feu moyen-vif (sans ébullition) pour une boisson festive façon vin chaud sans alcool.

Eaux vitaminées

Les eaux vitaminées que l'on trouve en supermarchés sont souvent préparées avec beaucoup trop de sucre pour être de vraies boissons santé. Réaliser des eaux vitaminées faites maison aux vitamines et antioxydants naturels issus des fruits et légumes est heureusement un jeu d'enfants. Voici deux boissons pour faire le plein de peps tout au long de l'année.

EAU D'HIVER

POUR ENVIRON 1,2 L

3 oranges

1/2 citron selon le goût

1 c à c de jus de gingembre

1 litre d'eau

Presser les agrumes, mélanger avec le jus de gingembre (à acheter en magasin bio ou à faire soi-même en râpant du gingembre et en le pressant dans une petite étamine ou une gaze pour laisser s'écouler le jus) dans une carafe. Compléter avec l'eau.

EAU SUPER-VITAMINÉE

POUR ENVIRON 1 LITRE

50 g de grains de grenade

1 c à c d'açaï en poudre

2 à 3 c à c de jus de citron selon le goût

1 litre d'eau

Dans le bol d'un blender ou d'un mixeur plongeant mélanger les grains de grenade, l'açaï et 300 ml d'eau. Mixer, filtrer et mélanger le jus obtenu avec le reste de l'eau. Ajouter enfin le jus de citron 1 c à c à la fois selon le goût et bien mélanger.

Eaux colorées

Des eaux naturellement colorées et parfumées, riches en vitamines et minéraux et ultra désaltérantes, à emporter avec soi ou à garder au frais pour en boire tout au long de la journée. Une eau rose fruitée et fleurie et une eau verte, acidulée et parfumée, toutes deux idéales pour les fortes chaleurs. Plus légères que les jus et très peu sucrées, elles sont à consommer sans modération !

PINK WATER

POUR 1,5 LITRE ENVIRON

100 g de pastèque épluchée

50 g de framboises

1 c à s d'eau de rose

1,5 litre d'eau

Mixer les fruits et l'eau de rose avec 400 ml d'eau au blender. Filtrer à l'aide d'une fine passoire et mélanger dans une carafe avec le reste de l'eau. Conserver au frais, déguster dans la journée.

GREEN WATER

POUR 1,5 LITRE ENVIRON

30 g d'épinards

30 g de fenouil

le jus d'un citron

10 feuilles de menthe

1,5 litre d'eau

Mixer les légumes préalablement coupés en morceaux avec le jus de citron, les feuilles de menthe et 400 ml d'eau, au blender. Filtrer à l'aide d'une fine passoire pour éliminer les petits morceaux restants. Mélanger avec le reste de l'eau et déguster rapidement. Conserver au frais.

BON À SAVOIR

Ces eaux colorées se dissocient souvent en 2 couches : la première avec la pulpe des ingrédients et la seconde, constituée d'une eau colorée très claire. Cela est tout à fait normal. Il suffit d'agiter le mélange pour que la boisson retrouve son aspect originel.

2 –

BOISSONS LACTÉES ET RÉCONFORTANTES

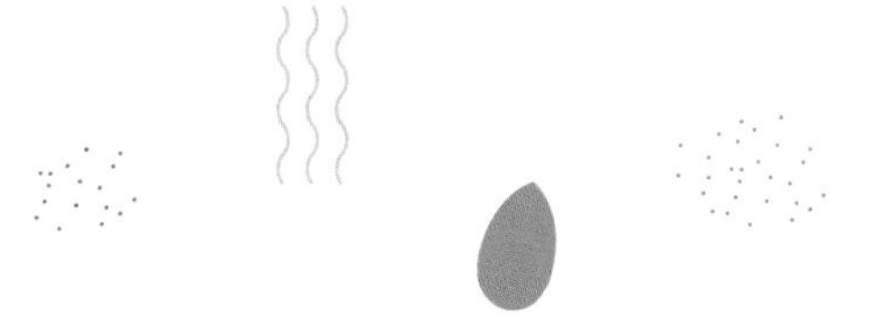

Qu'elles soient chaudes ou froides, les boissons lactées ont cette texture toute douce qui nous fait du bien instantanément. Elles peuvent aussi être préparées à l'aide d'ingrédients super sains comme le matcha, le curcuma et même contenir des fruits ou légumes frais. Version frappée pour des milk-shakes super healthy ou chaudes pour des moments de cocooning bien mérités pendant la saison froide, laissez-vous tenter !

EN SAVOIR PLUS

Milk-shakes, latte et laits parfumés, quelles différences?

Parmi les boissons lactées, on rencontre souvent des noms qui ont l'air interchangeables mais désignent pourtant des préparations différentes.

Milk-shake: issu de l'anglais, composé de milk = lait et shake = secouer
Le milk-shake est une boisson frappée à base de lait. Par «frappée», on entend une boisson refroidie avec de la glace. Le milk-shake peut être réalisé avec des glaçons ou de la crème glacée. Pour des versions saines, on pourra substituer des bananes congelées à la crème glacée pour limiter l'apport en sucre ajouté, tout en gardant une texture onctueuse et un goût très doux.
Latte (prononcer «latté»): dérivé du caffè latte italien, le latte est élaboré avec un expresso mélangé avec du lait (végétal dans ce livre) chauffé à la vapeur. Aujourd'hui, ce terme désigne également les boissons chaudes concoctées avec des alternatives au café telles que le matcha, la maca, le reishi, qui sont très énergétiques mais également très riches en saveur. On réalisera généralement le latte de la même manière: un lait chaud versé sur une infusion ou un mélange à base d'eau bien chaude et corsée.
Lait parfumé: Froid ou chaud, il peut être préparé de différentes manières:
- avec des ingrédients en poudre: curcuma, chocolat, cannelle... mélangés directement au lait froid ou chaud, éventuellement cuits dans le lait;
- avec des ingrédients frais: en mixant par exemple des fruits et du lait au blender;
- avec des ingrédients secs: en faisant infuser des fleurs, fruits ou/et plantes séchés dans du lait chaud, le plus souvent en faisant chauffer l'infusion à la casserole;
- avec des ingrédients liquides ou en purée: eau de rose, de fleur d'oranger, purée de pistache, de noisette, tout est possible!

Quels ingrédients?

Tant pour des raisons éthiques que diététiques, on optera pour des laits végétaux: amande, riz, avoine, soja, noisette, quinoa, coco... Et pour les mêmes raisons, on choisira autant que possible des produits d'origine bio, avec une préférence pour ceux issus du commerce équitable qui garantit une juste rémunération aux producteurs de cacao, vanille, café, sucre, etc.

Quels bienfaits ?

Les bienfaits des boissons présentées dans ce chapitre tiennent d'une part, à ce qu'on n'y trouve pas ou peu, et d'autre part à ce qu'on y trouve ! Donc :
1. ces boissons sont élaborées sans produits laitiers d'origine animale qui, on l'oublie trop souvent, ne sont pas adaptés aux besoins des humains, mais à ceux des jeunes animaux en pleine croissance ; elles sont peu sucrées ; sans édulcorants, colorants ou arômes de synthèse, bref sans ingrédients qui peuvent poser problème ;
2. parallèlement, elles contiennent plus de végétaux – fruits frais, légumes, épices, dont les vertus pour la santé ne sont plus à démontrer –, sont riches en antioxydants, en vitamines et en minéraux...

CONSEILS

Transformer les boissons lactées en glaces gourmandes

Vous aimez tellement votre boisson que vous rêvez de la déguster sous forme de glace ? C'est possible ! Pour cela, faire chauffer 400 ml de boisson lactée et y faire dissoudre 100 g de sucre. Ajouter 250 ml de crème végétale et 50 ml d'huile végétale au choix (neutre, coco, noisette...). Mixer pour bien émulsionner et passer en sorbetière.

Faire son lait végétal maison

Il existe plusieurs manières très faciles de faire son lait végétal soi-même. Mes préférées :
1. mixer des oléagineux préalablement trempés 4 à 8 h (jeter l'eau de trempage) avec de l'eau. Compter environ 150 à 200 g pour un litre ;
2. mixer des purées d'oléagineux avec de l'eau, c'est la solution la plus expresse, et elle permet de réaliser juste l'équivalent d'un verre si besoin. Compter quelques cuillères à soupe pour un litre ;
3. mixer des flocons de céréales (notamment avoine) avec de l'eau. Compter environ 100 g pour un litre.

GOLDEN MILK

Originaire d'Inde, le lait d'or au curcuma est une boisson santé réconfortante qui permet de bénéficier des atouts santé du curcuma et de ceux dispensés par les autres épices (cannelle, gingembre...). Cela peut sembler a priori un peu étrange à nos palais occidentaux de déguster une boisson au curcuma, et pourtant c'est vraiment délicieux ! Si vous aimez les chaï latte ou thés aux épices, vous allez adorer!

POUR 1 TASSE

1/4 de c à c de curcuma moulu

1/4 de c à c de cannelle moulue

1/4 de c à c d gingembre frais en purée ou râpé

1/4 de c à c d'huile de coco vierge

1 pincée de cardamome moulue

1 pincée de poivre noir moulu

250 ml de lait d'amande ou autre lait végétal

en option : 1 c à c de sirop d'agave

Dans une petite casserole, mélanger les épices et l'huile de coco, porter à feu moyen-vif, ajouter un peu de lait et bien délayer au fouet.
Ajouter progressivement le reste des ingrédients en mélangeant.
Quand la boisson est chaude (ne pas laisser arriver à ébullition), filtrer et servir.
Pour un goût plus sucré, ajouter 1 c à c de sirop d'agave.

PUMPKIN SPICE LATTE

Grand classique des boissons d'automne outre-Atlantique, le pumpin spice latte (café latte à la citrouille et aux épices) a fait depuis quelques années une entrée remarquée dans les pays européens. Le principe : un café latte auquel on ajoute de la purée de courge et des épices façon pain d'épice, bref un condensé de gourmandise dans une tasse ! Pour une version encore plus saine, on remplacera le café par un succédané à base de céréales torréfiées et/ou de chicorée, et les produits laitiers par des produits 100 % végétaux, lait d'amande, de noisette ou de coco, à vous de choisir !

POUR 1 GRANDE TASSE

1 c à s de succédané de café instantané

5 c à s d'eau frémissante

250 ml de lait végétal

6 c à c de purée de courge (potimarron, butternut, courge musquée, potiron...)

1/4 de c à c de mélange d'épices pour pain d'épices

1/4 de c à c de cannelle

1 pincée de vanille en poudre

en option :
1 à 2 c à c de sirop d'agave pour sucrer la boisson

bâton de cannelle pour décorer (qui infusera aussi légèrement dans la boisson)

« toppings » : chantilly, caramel, noisettes ou amandes hachées...

Dans une tasse, mélanger le succédané de café (type Yannoh en magasin bio) avec l'eau pour obtenir l'équivalent d'un expresso bien serré.
Dans une petite casserole, mixer le lait végétal, la purée de courge et les épices. Faire chauffer à feu moyen, sans atteindre l'ébullition.
Verser dans la tasse. Sucrer avec le sirop selon le goût, ajouter éventuellement les toppings et déguster sans attendre.

MILK-SHAKE ÉNERGIE

Un milk-shake ultra nourrissant et gourmand ? C'est la recette idéale pour un petit déjeuner express ou à emporter qui ne fait l'impasse ni sur la nutrition ni sur le plaisir. Doux, crémeux et parfumé du délicieux arôme de la maca, c'est une de mes boissons-repas préférées pour le matin.

POUR 1 VERRE

1 banane

2 c à c de maca en poudre

250 ml de lait d'amande

1 poignée de glaçons

en option : 1 à 2 c à c de sirop d'agave, d'érable ou de coco pour sucrer

Couper la banane en morceaux, les déposer dans le bol du blender avec la maca en poudre, le lait d'amande et les glaçons.
Mixer pour obtenir un milk-shake bien crémeux.
Sucrer si nécessaire. Déguster sans attendre.
Les boissons contenant de la banane mixée ont tendance à s'oxyder rapidement et à noircir.

IDÉES +

Transformez votre petit-déjeuner en goûter de luxe en ajoutant un peu de crème fouettée végétale (crème de coco fouettée pour une version maison, ou chantilly vegan du commerce), quelques amandes hachées et morceaux de banane pour décorer.
Ajoutez des feuilles vertes (épinards, blettes, chou kale...) ou des fruits rouges (myrtilles, framboises, cassis, fraises) pour un milk-shake coloré encore plus riche en vitamines et minéraux !

Focus / la maca

La maca est le tubercule d'une plante vivace maraîchère, apparentée au radis et au cresson de jardin, qui ne croît que sur certains hauts plateaux des Andes. Cultivée pour sa haute valeur nutritionnelle et cuisinée comme de la patate douce, la maca était aussi séchée et réduite en poudre pour être conservée et consommée toute l'année. C'est sous cette forme qu'on la trouve aujourd'hui dans le commerce. Elle est réputée réduire les symptômes de la ménopause, stimuler le système immunitaire, tonifier l'organisme, soulager le stress.

MATCHA LATTE

Remplacer l'expresso par un matcha bien serré pour créer un latte doux à la couleur verte sublime, c'est l'idée de génie qui est en train de faire basculer les accros du café latte du côté du thé vert.

POUR 1 TASSE

1 c à c de matcha bio

3 c à c d'eau chaude

125 cl de lait d'amande

125 cl de lait de riz

Dans une tasse ou un bol, délayer le matcha avec l'eau chaude à l'aide d'un petit fouet, d'un mousseur à lait électrique (pour un matcha bien mousseux) ou d'une fourchette.
Mélanger les deux laits dans une petite casserole et porter à feu vif.
Quand le lait commence à peine à frémir, sortir du feu et verser sur le matcha.
Déguster sans attendre.

IDÉE +
Personnellement, je ne sucre pas ce matcha latte que je trouve déjà très doux. Si vous souhaitez encore plus de douceur, ajoutez 1/2 à 1 c à c de sirop d'agave ou de malt de riz par tasse.

Focus / le matcha

Traditionnellement utilisé au Japon pour la cérémonie du thé, le thé vert en poudre, riche en antioxydants, est également un ingrédient très prisé en pâtisserie, notamment dans les glaces et les desserts. Cet usage n'a pas manqué d'intéresser les pâtissiers occidentaux et les fans de cuisine saine. La légère amertume du matcha est ici complètement adoucie par le lait végétal, un mélange d'amande et de riz, choisi pour sa douceur (le lait de riz est naturellement un peu sucré) et son onctuosité (plus grasses, les amandes offrent un lait vraiment onctueux, et naturellement riche en calcium !).

LASSIS FRUITÉS

Boisson traditionnelle indienne, le lassi se réalise avec du lait fermenté battu. Pour une version 100 % végétale, on mixera du lait d'amande, bien crémeux et riche en calcium, avec un yaourt de soja qui, lui, est riche en protéines et en probiotiques, avec ce petit goût typique des produits fermentés que l'on ne retrouve pas dans un simple lait végétal ni dans le tofu soyeux. Je vous propose ici trois associations de saveurs géniales pour varier les plaisirs et vous régaler tout au long de l'année.

POUR 2 VERRES

BASE DE LASSI NATURE
200 ml de lait d'amande

3 c à s de yaourt de soja nature

en option: 1 c à c de sirop d'agave

FRAISE-ROSE
3 ou 4 grosses fraises
1 c à c d'eau de rose

MANGUE-CARDAMOME
1/4 à 1/2 mangue mûre à point
2 pincées de cardamome

PÊCHE-FLEUR D'ORANGER-CURCUMA
1 pêche jaune (fraîche ou au sirop)
1 c à c d'eau de fleur d'oranger
1 pincée de curcuma

Dans le bol du blender, verser le lait et le yaourt. Ajouter les ingrédients du lassi choisi (couper les fruits en morceaux), et mixer.
Goûter la boisson, ne sucrer que si le goût semble trop acide (le lassi à la fraise le sera davantage que celui à la mangue, bien sucré naturellement).
Déguster sans attendre.

IDÉE +
Pour un effet bien frais, lors des fortes chaleurs, vous pouvez le servir sur un lit de glaçons ou ajouter quelques glaçons avant de mixer pour réaliser un lassi frappé.

VEGGIE CHOCO

C'est la boisson réconfortante par excellence, mais bien souvent trop sucrée et trop grasse. Ce chocolat chaud végétal crémeux, parfumé mais qui reste léger, est additionné d'épices aux propriétés bénéfiques (cannelle antioxydante, cardamome carminative). C'est à la fois un vrai délice pour les papilles et une boisson qui nous fait du bien.

POUR 1 GRANDE TASSE OU 2 PETITES

3 c à cacao en poudre

1/4 c à c de cannelle moulue

2 pincées de vanille en poudre

2 pincées de cardamome moulue

1 pincée de poivre noir

250 ml de lait de noisette

Dans une petite casserole, mélanger les ingrédients au fouet.
Mettre sur feu moyen et laisser chauffer en mélangeant régulièrement, la boisson ne doit pas bouillir.
Quand la température est idéale, couper le feu et verser le chocolat chaud dans deux tasses.
Pour une boisson très gourmande, servir avec un peu de crème fouettée sur le dessus.
Ce chocolat peut être dégusté froid comme un lait chocolaté.

IDÉE +
Essayez cette recette en remplaçant le cacao par de la caroube en poudre, effet bluffant et délice garantis ! Pour un chocolat encore plus intense, ajoutez si vous le digérez, une pincée de piment en poudre pendant la cuisson.

GREEN SHAKE

Remplacer la crème glacée par de la banane congelée et ajouter des épinards et du kiwi pour faire le plein de vitamines et de minéraux, c'est l'idée décoiffante que vous propose cette recette de milk-shake pas comme les autres.

POUR 2 VERRES

1,5 banane congelée

2 poignées d'épinards frais

1 pincée de vanille en poudre

1 kiwi

400 ml de lait d'amande

Verser tous les ingrédients dans le bol du blender et mixer jusqu'à obtenir une texture bien homogène. Si votre mixeur n'est pas très puissant et qu'il reste des petits morceaux d'épinards, vous pouvez filtrer le milk-shake avant de le déguster.

BON À SAVOIR

Parfaite pour un petit-déjeuner ou un goûter plein d'énergie, cette recette se dégustera de préférence immédiatement, mais pourra être emportée dans une petite bouteille pour être consommée dans la journée. Se conserve 24 h au frais maximum.

Focus / l'épinard

Connu pour sa haute teneur en fer, l'épinard fournit aussi vitamines – A, K, B9, B2, B6 – et minéraux tels que le magnésium, le manganèse et le cuivre. Il contient aussi des antioxydants dont les effets seraient bénéfiques pour la santé des yeux, agiraient en prévention de certains cancers (acide férulique, chlorophylle) et aideraient à résister au stress oxydatif.

MILK-SHAKE BICOLORE

Un joli milk-shake rose et violet, riche en fruits et acidulé, qui sera le compagnon idéal des petits-déjeuners, goûters et pauses gourmandes.

POUR 1 GRAND VERRE

1 banane

1 petite poignée de flocons d'avoine

300 ml de lait d'amande

1 poignée de glaçons

1 petite poignée de framboises (fraîches ou surgelées)

1 petite poignée de myrtilles (fraîches ou surgelées)

Couper la banane en morceaux, mélanger dans le bol du blender avec les flocons d'avoine, le lait d'amande, les glaçons et mixer le tout. Réserver la moitié du mélange et mixer la partie restante avec les framboises. Verser dans un grand verre ou un bocal en verre. Mixer la partie réservée avec les myrtilles et verser par dessus. Déguster sans attendre. On peut évidemment inverser les deux couches et commencer à mixer avec les myrtilles.

IDÉE +

Servez les deux préparations dans un bol, et parsemez de fruits frais, müesli, granola, graines, copeaux de coco pour un petit-déjeuner super gourmand et nutritif.

3 –

JUS PRESSÉS À FROID

Depuis maintenant quelques années, les jus de légumes ou mélangeant fruits et légumes sont devenus très populaires. La raison ? Cette méthode permet de concentrer les nutriments d'une grande quantité d'aliments dans un simple verre. Faciles à préparer, à déguster, à digérer et à emporter, ces jus apportent en plus un maximum de bienfaits ! Ce serait vraiment dommage de s'en priver, non ?

EN SAVOIR PLUS

Coût et déchets

Les jus vendus dans le commerce le sont parfois à des prix prohibitifs. Il n'est pas rare de trouver des bouteilles à 6 ou 7 €. Réaliser ses jus maison présente donc un avantage économique non négligeable même si leur préparation au quotidien a quand même un coût non négligeable. En effet, côté primeurs, le budget va sensiblement augmenter car ces préparations nécessitent plusieurs légumes et fruits par jour en plus des produits frais à cuisiner. On peut donc alterner avec un smoothie ou un milk-shake vert qui demandent moins de matière première et conservent les fibres des aliments.

Extracteur de jus vs centrifugeuse

Les extracteurs de jus, au prix parfois très élevé (on en trouve entre 150 et 700 €) sont-ils de simples centrifugeuses ? La réponse est non ! À la centrifugeuse, la pulpe est propulsée par l'intermédiaire de la force centrifuge contre un tamis pour extraire le jus. La vitesse de rotation étant extrêmement élevée (10 000 tours/minute), les aliments subissent une certaine chauffe qui va entraîner la destruction d'une partie de leurs vitamines et nutriments. Ce phénomène sera atténué avec un extracteur de jus puisqu'il a une vitesse de rotation très basse (entre 45 et 110 tours/minute environ). La technique d'extraction est différente : les aliments sont broyés à l'aide d'une vis sans fin qui tourne lentement, puis sont séparés en jus et pulpe à l'aide d'un filtre.

CONSEILS

Conservation

Les antioxydants des jus pressés à froid étant préservés, ils se conserveront aussi plus longtemps : entre 24 à 48 h dans une bouteille ou un bocal fermé au frais. Plus on attend pour les déguster, plus ils perdent de vitamines. Bien secouer avant de boire.

Quels bienfaits ?

Si l'intérêt en termes de nutrition et de santé est réel, les jus ne sont pas pour autant les élixirs miracles que certains nous promettent. Ils permettent d'ajouter une bonne proportion de micronutriments supplémentaires dans notre alimentation. Quand on sait aujourd'hui que la bonne quantité de fruits et légumes se situe plus autour de 10 que de 5, ils peuvent nous aider à augmenter notre apport quotidien en antioxydants, vitamines et minéraux. Attention cependant, comme ils ne contiennent pas de fibres, ils se digèrent très vite et ont donc un index glycémique assez élevé. C'est la raison pour laquelle il est important d'inclure une plus grande proportion de légumes dans les jus, sinon la charge glycémique peut-être équivalente à celle d'un produit acheté dans le commerce ou même à une boisson sucrée. La proportion idéale est de 2/3 de légumes pour 1/3 de fruits, voire moins de fruits si le goût vous convient.

Mélanges de saveurs

Essayez d'associer des saveurs douces pour démarrer : fruits doux tels que pomme, orange ou poire avec des légumes au goût peu prononcé comme épinard, blette, carotte. Mariez ensuite des légumes au goût plus affirmé - betterave, kale, brocoli, fenouil, céleri... - avec quelques fruits doux et acides ou acidulés : citron, ananas, pamplemousse, fraise, grenade. Vous pouvez aussi tempérer un jus au goût trop corsé avec des végétaux doux et juteux comme le concombre, la pastèque ou la laitue romaine.

GREEN BLISS

C'est LE jus parfait pour débuter.
Tout doux et bien vert, il sera apprécié par tout le monde.
C'est aussi une bonne base à personnaliser pour créer ses propres recettes de jus verts en fonction des ingrédients de saison.

POUR 1 VERRE

2 belles poignées d'épinards

1 poire

1 pomme

1/2 concombre

Bien laver les ingrédients et les détailler en gros morceaux.
Passer à l'extracteur en mélangeant les morceaux et verser dans un verre ou un bocal.

IDÉES +

Utilisez un autre légume à feuilles vertes pour varier comme le kale et les blettes, mais aussi des fanes de légumes, des salades telles que la mâche. Vous pouvez aussi ajouter des herbes fraîches : menthe, basilic, coriandre, persil... , très riches en nutriments et en chlorophylle.
Ajoutez quelques glaçons si vous souhaitez l'emporter dans une petite bouteille, le jus restera bien frais pendant quelques heures !

SWEET RED

Un jus à la sublime couleur rouge, tout doux et riche en antioxydants et vitamines, c'est pile ce qu'il vous faut. Si vous en doutiez encore, ce jus est la preuve que santé peut vraiment rimer avec gourmandise. La betterave est adoucie grâce à la poire, un vrai délice !

POUR 1 VERRE

1 grosse betterave

1 carotte moyenne

150 g de grains de grenade (environ 1 grenade)

1 petite poire

Couper la betterave et la carotte et détacher les grains de la grenade. Couper la poire. Passer les fruits et légumes à l'extracteur.
Verser dans un verre ou un bocal.

IDÉES +

Ajoutez quelques glaçons si vous souhaitez l'emporter dans une petite bouteille, le jus restera bien frais pendant quelques heures !
Remplacez la poire par une pomme ou une orange (à éplucher avant de mettre dans l'extracteur) et ajoutez un petit morceau de gingembre pour booster les saveurs.

WINTER BOOST

Besoin d'un coup de boost pour faire face à l'hiver ? Faites le plein d'énergie avec ce jus survitaminé riche en béta-carotène, vitamine C et à la saveur réchauffante du gingembre. Vous pensiez que le jus de carotte était insipide ? Cette recette va vous rendre accro !

POUR 1 VERRE

1 ou 2 carottes

150 g de patate douce crue

2 oranges

1 petit morceau de gingembre (environ 1 cm) ou quantité selon le goût

1 petit morceau de curcuma frais (environ 1 cm)

Couper les ingrédients en morceaux et les passer à l'extracteur. Verser dans un verre ou un bocal.

IDÉES +

Ajoutez un peu de betterave pour un jus rouge encore plus gourmand et un peu de citron pour une petite saveur acidulée avec plus de peps.
Ajoutez quelques glaçons si vous souhaitez l'emporter dans une petite bouteille, le jus restera bien frais pendant quelques heures !

GREEN MACHINE

On commence à passer aux choses sérieuses avec ce jus vert plein de goût, acidulé à souhait et qui présente un superbe équilibre des saveurs. Croyez-moi, celui-là va faire des ravages !

POUR 1 GRAND VERRE

150 g de blettes

200 g d'ananas

150 g de laitue romaine

10 feuilles de menthe

2 branches de céleri

Éplucher l'ananas et le couper, comme tous les autres ingrédients, en gros morceaux. Passer le tout à l'extracteur. Verser dans un verre ou un bocal.

IDÉES +

Ajoutez quelques glaçons si vous souhaitez l'emporter dans une petite bouteille, le jus restera bien frais pendant quelques heures !

Remplacez les blettes par du chou kale ou des épinards et ajoutez une poignée de mâche pour un apport supplémentaire en oméga 3 !

SUMMER LOVE

Inspiré du gaspacho, ce jus 100 % rouge sera un vrai délice en apéritif, servi bien frais, pourquoi pas sur un lit de glaçons. Tout doux grâce à la pastèque et acidulé grâce aux fraises, il remplacera sans problème une entrée. Si vous le désirez, servez-le comme un gaspacho avec croûtons, huile d'olive et dés de concombre.

POUR 1 GRAND VERRE OU DEUX PETITS

1 poivron rouge moyen

3 tomates moyennes

200 g de pastèque

100 g de fraises

en option : brins de menthe ou de thym pour servir

Épépiner le poivron et le couper en morceaux. Couper également les tomates, et la pastèque préalablement épluchée. Passer tous les ingrédients à l'extracteur. Verser dans un verre ou un bocal.

IDÉES +

Si vous n'avez pas d'extracteur, vous pouvez réaliser ce jus au blender, en ajoutant un peu d'eau et en filtrant si besoin avant de servir.
Ajoutez quelques glaçons si vous souhaitez l'emporter dans une petite bouteille, le jus restera bien frais pendant quelques heures !

ORANGE OMÉGA

Une petite variante sur le thème des jus, avec des graines de chia pour apporter des oméga 3. On s'inspire ici du traditionnel chia fresca en faisant gonfler des graines de chia dans le jus. La boisson reste tout à fait liquide, les graines prennent une texture de microbilles gélifiées qui se révèle très agréable à boire.

POUR 1 PETIT VERRE

3 carottes

100 g de grains de grenade (une grenade environ)

1 orange

50 g de framboises (surgelées - et décongelées - c'est très bien)

1 c à s de graines de chia

Couper les carottes en morceaux.
Détacher les grains de la grenade. Éplucher l'orange et la couper en morceaux.
Passer tous les ingrédients (sauf les graines de chia) à l'extracteur. Verser dans un verre ou un bocal, ajouter les graines de chia et mélanger. Laisser gonfler 30 min, bien mélanger à l'aide d'une fourchette et déguster.

IDÉE +

Vous pouvez décliner le concept et ajouter des graines de chia dans toutes vos boissons : jus, smoothies, eaux parfumées...

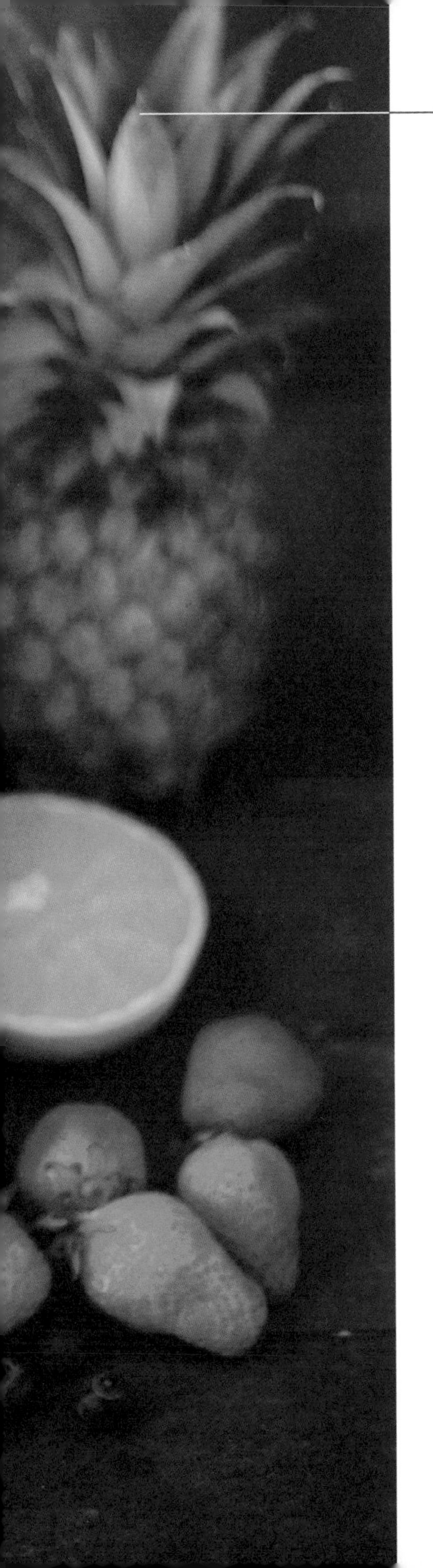

4 –

SMOOTHIES VERTS ET FRUITÉS

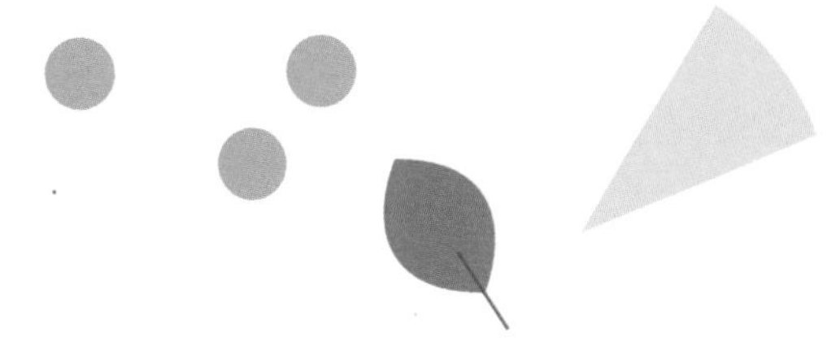

Avec leur texture de nectar toute douce, les smoothies sont une alternative parfaite aux jus industriels, pas toujours à la hauteur de nos attentes. On y glisse nos fruits préférés selon les saisons et même, plus étonnant, des légumes pour concocter de délicieux smoothies verts : bourrés de nutriments et moins riches en sucres, comment y résister ?

POUR EN SAVOIR PLUS

Ingrédients à privilégier

Je ne vais pas vous étonner en répétant que les fruits et légumes issus de l'agriculture biologique sont à privilégier. Si augmenter notre consommation de végétaux présente un réel bénéfice pour la santé, augmenter celle de pesticides cancérigènes et de perturbateurs endocriniens est bien sûr à éviter ! Plutôt que de parler de « détox », je préfère m'attacher à l'idée d'une alimentation « notox » (pour « non toxique »), une alimentation qui ne nous empoisonne pas à petit feu. On trouve facilement des pommes et des bananes bios dans tous les supermarchés. Oui, elles sont plus chères, mais ce sont deux des fruits les plus chargés en pesticides. Si vous ne pouvez pas acheter 100 % bio, ce qui, vu la difficulté de pouvoir trouver des produits frais bios à un prix abordable, est tout à fait compréhensible, vous avez néanmoins d'autres options que le « tout pesticide ». Les maraîchers présents sur les marchés locaux proposent souvent des fruits et légumes produits en « agriculture raisonnée » : ils n'utilisent des pesticides que lorsque c'est vraiment nécessaire et vous pouvez savoir quel fruit ou légume a été traité. Les prix sont nettement plus intéressants qu'en supermarché. Par ailleurs, les paniers bios et AMAP se démocratisent et offrent des solutions plus économiques pour avoir accès à des produits frais de qualité.

Smoothies 100 % fruits, smoothies verts ou smoothies enrichis ?

« Smoothie » signifie onctueux, doux. C'est une boisson mixée, le plus souvent à base de fruits additionnés éventuellement d'eau ou du jus. Elle peut également être frappée, c'est-à-dire mixée avec de la glace. Les smoothies ne contiennent généralement pas de lait, mais il arrive aujourd'hui qu'on nomme ainsi une boisson mixée à base de fruits à laquelle on a ajouté un lait végétal, un yaourt, etc. De fait, les smoothies sont déclinables à l'envi : 10 % ou 100 % de légumes ne leur font pas peur et ils s'accordent parfaitement de petits surplus en tout genre : super-aliments, avocat, épices, cacao en poudre, thé froid, herbes fraîches, graines diverses, purées d'oléagineux… qui boostent leur potentiel nutritif.
La tendance des « green smoothies » (smoothies verts) qui sont très nutritifs et contiennent moins de sucres s'est installée comme une vraie alternative santé au point qu'on commence à en trouver un peu partout. Mais alors,

quel est le meilleur smoothie ? J'aurais tendance à dire : celui que vous buvez, car il ne s'agit pas de se forcer à avaler un jus qu'on n'aime pas en pinçant les lèvres au prétexte que « c'est bon pour la santé », mais de prendre plaisir à déguster une boisson qui nous fait du bien. Ne pas oublier cependant que les smoothies sont souvent riches en sucres, et qu'il faut donc les considérer comme une partie de notre alimentation quotidienne – très complets, ils peuvent être des repas à part entière et constituer un parfait petit-déjeuner, goûter ou en-cas pré ou post activité sportive – plus que comme de simples boissons.

CONSEILS

Quel blender choisir ?

A-t-on besoin d'investir dans la Rolls des blenders et dépenser entre 400 et 900 € pour faire des smoothies ? Non, bien évidemment. On peut même d'ailleurs les préparer à l'aide d'un simple mixeur plongeant (oui, le même que celui pour faire des soupes !). Malheureusement, la finesse de la boisson – plus ou moins lisse ou granuleuse avec des petits morceaux – dépend effectivement du matériel utilisé et on n'obtiendra pas la même texture avec tous les blenders. Les hauts de gamme (Omniblend, Vitamix, Blendtec, Super Blender de Kitchenaid...), qui possèdent des moteurs très puissants, des lames et des bols bien conçus, offrent des textures vraiment très lisses qu'on n'obtiendra pas avec des appareils meilleur marché.
Le choix du blender sera donc à la fois une question de budget, de goût personnel et de fréquence d'utilisation (si c'est plusieurs fois par jour, ça devient intéressant d'investir dans du matériel de qualité). Enfin, on trouve des blenders nomades assez puissants pour leur petite taille : les *personal blenders* permettent ainsi de concocter des smoothies tout à fait honorables en petite quantité (l'équivalent d'un ou deux verres), ne prennent pas de place et coûtent moins cher qu'un bon blender classique (compter entre 60 et 120 €).

Petite astuce pour obtenir une texture plus lisse avec un blender « normal » : filtrer le smoothie à l'aide d'une très fine passoire ou d'une étamine, cela retiendra les petits morceaux de peau, de feuilles ou les pépins.

Pensez aux fruits surgelés !

On les oublie souvent, pourtant les fruits surgelés sont vraiment top pour ce type de préparation ! On peut les avoir toujours sous la main (même hors saison), il n'y a le plus souvent pas besoin de les laver ni de les couper et ils apportent une petite touche « frappée » à la boisson qui est vraiment agréable lorsqu'il fait chaud. Certains fruits comme la myrtille ne se trouvent d'ailleurs quasiment que surgelés (celles que l'on trouve fraîches sont en fait des bleuets, de grosses myrtilles à la chair blanche et au goût très doux, différentes des petites à la chair pourpre et au goût très acide).

THERMAL CONTROL JAR
KitchenAid
Start/Stop
Pulse H/L

Smoothies petit-déjeuner

Des smoothies délicats, super onctueux et à la texture parfaite à déguster au verre ou dans un bol, et garnis de toppings gourmands : graines, fruits frais, copeaux de noix de coco, muesli...

SMOOTHIE GREEN OATMEAL

POUR 1 GRAND VERRE

1 banane

1 pomme

1 poignée d'épinards

3 à 4 c à s de flocons d'avoine

250 à 300 ml d'eau

Éplucher et couper la banane. Couper la pomme et hacher grossièrement les épinards. Placer dans le bol du blender avec les flocons d'avoine et plus ou moins d'eau selon la texture désirée : à boire ou à déguster à la cuillère. Mixer pour obtenir une texture bien lisse et onctueuse. Servir dans un verre ou un bol et déguster sans attendre.

SMOOTHIE AÇAÏ BOWL

POUR 1 GRAND VERRE/BOL OU DEUX PETITS

1 banane et 1 pomme

1 poignée de fruits rouges

100 ml d'eau

1,5 c à s d'açaï en poudre

Éplucher et couper la banane, couper la pomme. Placer dans le bol du blender avec les fruits rouges, verser l'eau et ajouter l'açaï. Mixer. Verser dans un bol et garnir de toppings gourmands au choix.

Focus / l'açaï

Cette baie de couleur pourpre-violette originaire d'Amazonie fait partie des traditions culinaires et médicinales des tribus indigènes de cette région. Elle jouit d'une grande popularité depuis quelques années en Occident en raison de sa richesse élevée en antioxydants. Son goût très doux et original, entre la mûre et le chocolat, se prête bien à la réalisation de boissons et de glaces. De plus, sa teneur en acides gras (environ 30 %), en vitamine E et en fer, est particulièrement appréciée des végétariens et des vegans. Vendue surtout en poudre, on peut l'ajouter facilement à de nombreuses recettes.

Smoothies verts

Si vous vous demandez pourquoi ces boissons végétales ont autant de succès, c'est peut-être que vous n'y avez pas encore goûté ! Le principe est simple : on ajoute des légumes à feuilles vertes (épinards, blettes, chou kale, romaine, mâche...) à un smoothie fruité pour en booster la teneur en vitamines et en minéraux.

SMOOTHIE GREENA COLADA

POUR 1 GRAND VERRE

150 g d'ananas épluché

1/2 avocat

200 ml d'eau de coco

2 poignées d'épinards

5 feuilles de menthe

Couper l'ananas et l'avocat. Verser dans le blender avec l'eau de coco, les épinards grossièrement hachés et les feuilles de menthe.
Mixer jusqu'à obtenir une texture bien lisse et onctueuse à déguster sans attendre.

SMOOTHIE GO GREEN

POUR 1 GRAND VERRE/BOL OU DEUX PETITS

2 grandes feuilles de kale

150 g de mangue

300 ml de lait de riz

le jus 1/2 citron vert

1/4 de c à c de cardamome moulue

Retirer la nervure centrale des feuilles de kale et couper la mangue en morceaux.
Verser le tout dans le bol du blender avec le lait de riz, le jus de citron vert et la cardamome.
Mixer jusqu'à obtenir une texture bien lisse et onctueuse à déguster sans attendre.

SMOOTHIE GOURMAND

Attention, haute gourmandise en vue ! Cette recette, c'est un peu une tarte pomme-poire-chocolat à boire. On en retrouve ici toute la gourmandise avec un goût étonnamment frais et une texture à la fois onctueuse et légère. Un délice absolument addictif.

POUR 1 PETIT VERRE

1 pomme

1 poire

1 c à c de beurre de cacahuète

2 c à c de cacao cru en poudre

2 c à c de maca en poudre

1 pincée de vanille

1 pincée de cannelle

1 c à c de sirop d'agave

250 ml de lait de noisette

Couper les fruits en morceaux, et les mélanger dans le bol du blender avec le beurre de cacahuète, le cacao en poudre, la maca, les épices, le sirop d'agave et le lait de noisette. Mixer jusqu'à obtenir une texture bien lisse et déguster sans attendre.

Smoothies aux fruits

Ce sont peut-être les plus connus et les plus populaires. Plus que de simples « jus de fruits », ces délices fruités, riches en pulpe et en saveurs, sont de véritables concentrés de vitamines, frais et acidulés à la fois. Un vrai moment de plaisir pour les fans de fruits ! Voici deux recettes super gourmandes pour les beaux jours : la première aux saveurs ensoleillées, la seconde acidulée et ultra déshydratante.

SMOOTHIE MALIBU PEACH

POUR 2 VERRES

1 banane

150 g de mangue

2 pêches jaunes épluchées

150 ml eau

1 poignée de glaçons

Éplucher les fruits.
Dénoyauter la mangue et les pêches, et couper leurs chairs en morceaux.
Verser le tout dans le bol du blender avec les glaçons et mixer pour obtenir un smoothie bien frais.
Servir sans attendre.

SMOOTHIE ANTI-OXYDANT

POUR 2 VERRES

400 g de chair de pastèque

30 g de myrtilles (surgelées, c'est très bien)

50 g de framboises

1/2 citron vert

100 ml eau

Couper la pastèque en morceaux, la verser dans le bol du blender avec les myrtilles, les framboises, le jus de citron vert pressé et l'eau.
Mixer pour obtenir un smoothie clair et léger.
Déguster sans attendre.

SMOOTHIE CHERRY PIE

Une saveur de tarte à la cerise légèrement acidulée, une texture suave en bouche et une jolie couleur rose pour cette boisson réconfortante et riche en saveurs. Pour varier les parfums selon la saison, n'hésitez pas à remplacer les cerises par de l'abricot, de la poire, des prunes ou votre fruit préféré du moment !

POUR 2 VERRES

150 g de cerises dénoyautées

1 c à s de purée d'amande

2 c à s de flocons d'avoine

250 à 300 ml d'eau

1 pincée de vanille en poudre

le jus d'1/2 citron

1 c à s de sirop d'agave

Dans le bol du blender, déposer les cerises, la purée d'amande, les flocons d'avoine.
Ajouter l'eau, la vanille en poudre, le jus du citron et le sirop d'agave.
Bien mixer pour obtenir une boisson lisse et onctueuse. Déguster sans attendre.

SMOOTHIE SUNRISE

« Sunrise » – le lever de soleil –, c'est un smoothie super-vitaminé, à la jolie couleur jaune-orangé pour faire le plein d'énergie au petit-déjeuner et démarrer une nouvelle journée avec une pêche d'enfer !

POUR 2 VERRES

100 g de chair de mangue

100 g de chair d'ananas

100 g de mirabelles dénoyautées

2 grosses ou 3 petites oranges à jus

Éplucher les oranges et les couper en morceaux. Détailler la chair des fruits et mettre le tout dans le bol du blender. Ajouter les mirabelles.
Mixer pour obtenir un smoothie bien onctueux.
Déguster immédiatement ou conserver au frais pour 24 h dans une bouteille ou un bocal fermé d'un couvercle.

5 –

BOISSONS FRAÎCHES ET PÉTILLANTES

Adieu sodas industriels ! Bienvenue limonades fruitées faites maison ! Troquer arômes et colorants artificiels pour des végétaux et des fruits frais gourmands tout en réduisant le sucre au minimum pour allier plaisir et santé, comment n'y avons-nous pas pensé plus tôt ?

EN SAVOIR PLUS

Pourquoi éviter les sodas?

Boissons pétillantes aromatisées et sucrées, les sodas sont devenus, avec l'augmentation de leur consommation dans le monde entier (56 litres par an et par personne en France), un véritable problème de santé planétaire. Facteur d'aggravation des risques d'obésité, de diabète, de maladies cardiovasculaires, mais aussi de cancers, la consommation de sodas serait responsable de 180 000 décès par an selon une étude américaine datée de 2010*. De plus, leur grande teneur en sucre et en acide citrique a un effet très négatif sur la santé bucco-dentaire causant caries et érosion de l'émail. Proposées depuis plusieurs décennies par les mêmes fabricants, les versions « light », sans sucre ou moins sucrées, sont présentées comme la solution salvatrice à ce type d'inconvénients. Des édulcorants de synthèse tels que l'aspartame sont utilisés en remplacement. Pourtant, leur consommation régulière serait un réel danger pour la santé. Une étude récente menée par le Pr Hannah Gardener, épidémiologiste à l'université de Miami, a démontré que consommer une cannette de soda light par jour augmentait le risque d'accident vasculaire cérébral de 61 % et celui de développer un diabète** de 15 % pour une consommation de 0,5 litre/semaine et de 59 % pour 1,5 litre/semaine. Par comparaison, la consommation de jus de fruits pressés n'entraîne aucun problème de ce type. De plus, il a été largement démontré que la consommation de sodas « lights », en entretenant le goût pour la saveur sucrée, n'avait pas pour résultat une perte de poids.

CONSEILS

Comment réaliser ses sodas sans sucre ou avec des sucres naturels?

Les boissons incriminées vendues dans le commerce sont donc à proscrire. Mais il faut également faire attention à ne pas reproduire le problème chez soi en concoctant des boissons trop sucrées. Voici quelques conseils pour éviter d'avoir la main trop lourde sur les sucres, car même lorsqu'ils sont complets et/ou bios, leur incidence sur la santé n'est pas négligeable.

• Goûter : tout comme pour le sel dans les plats, il est important de goûter avant de sucrer. Souvent, la boisson nous conviendra très bien comme ça, sans adjonction supplémentaire.

• Allonger avec de l'eau. Trop acide ou trop sucré ? allongez votre boisson avec de l'eau, pétillante pour les sodas, afin de diluer le problème ! Idem pour les jus de fruits industriels souvent réalisés à partir de concentrés très sucrés : les couper avec de l'eau permet de réduire leur teneur en glucose et ne pas s'habituer à boire trop sucré.
• Misez sur le sirop d'agave : avec son goût sucré qui reste bien neutre, c'est l'allié parfait pour des sodas maison. Son point fort : un pouvoir sucrant supérieur à celui du sucre - ainsi il faut 25 % de sirop d'agave de moins par rapport au sucre traditionnel pour obtenir la même saveur sucrée. Sa forme liquide le rend de plus vraiment idéal pour être ajouté aux boissons.

Plus d'idées gourmandes
Quelques idées supplémentaires pour vous régaler :
• limonade au gingembre façon ginger ale (jus de gingembre, jus de citron, eau pétillante, sirop d'agave),
• ice tea pétillant (jus de pamplemousse, thé noir infusé à froid dans de l'eau pétillante, rondelles de citron),
• eaux gourmandes pétillantes : remplacer l'eau plate par de l'eau pétillante dans les recettes du premier chapitre.

Penser aux huiles essentielles
Elles sont tout à fait indiquées pour réaliser des sodas maison. Je n'y ai pas eu recours ici car les fruits frais offrent plus de nutriments, mais rajouter une à quelques gouttes d'huile essentielle d'orange douce, de bergamote, de citron, de menthe poivrée, permet de parfumer 1 litre à 1 litre et demi de boisson. Impératif : se servir d'huiles essentielles bios et uniquement celles qui sont utilisables en cuisine. Commencer par une goutte, puis une deuxième si nécessaire, car une goutte parfume déjà beaucoup.

* https://doi.org/10.1161/CIRCULATIONAHA.114.010636

** Consumption of artificially and sugar sweetened beverages and incident type 2 diabetes in the E3N-EPIC cohort.

PINK LIMONADE

Les limonades roses sont un de mes grands classiques d'été. Cette version à la framboise et à la rose est une de mes préférées. Acidulée, fleurie et pimpante à souhait, elle est de toutes les fêtes, mais s'invite volontiers aux repas au jardin ou aux pique-niques.

POUR 1 LITRE

75 g de framboises

le jus de 3 citrons

2 c à s de sirop d'agave

1 c à s d'eau de rose

900 ml d'eau pétillante

Dans un grand récipient, écraser les framboises avec le jus de citron et l'eau de rose.
Bien mélanger. Verser 1/3 de l'eau pétillante. Filtrer à l'aide d'une petite passoire et verser dans une carafe ou une bouteille. Ajouter le reste de l'eau pétillante. Sucrer avec le sirop d'agave. Conserver au frais. Déguster dans les 48 h.

IDÉE +

Remplacez les framboises par 100 g de fraises (préférez les petites fraises - type mara des bois - bien parfumées).

COCKTAIL SAUVAGE

La cueillette des mûres est une de mes activités estivales favorites : se balader en pleine nature, trouver un coin plein de baies gorgées de soleil, remplir son panier et en déguster quelques-unes au passage, rentrer les doigts tachés de violet sombre et préparer de la confiture, du coulis et ce délicieux cocktail pétillant.

POUR 4 VERRES

85 g de mûres fraîches

le jus de 2 citrons verts

2 c à s de sirop d'agave

800 ml d'eau pétillante

Dans un grand récipient, écraser les mûres avec le jus de citron vert, ajouter l'eau pétillante, bien mélanger. Filtrer à l'aide d'une petite passoire et verser dans une carafe ou une bouteille. Sucrer avec le sirop d'agave. Conserver au frais. Déguster dans les 48 h.

IDÉE +

Testez une version aux groseilles ou framboises selon vos cueillettes et ajoutez quelques fraises des bois entières juste au moment de servir pour une petite touche gourmande et sauvage supplémentaire.

SODA EXOTIQUE

Avec ce soda fruité, on est à mille lieues des boissons industrielles composées d'arômes de synthèse et de colorants : ici tout vient des fruits ! La pastèque douce et désaltérante et l'ananas acidulé se marient à merveille pour créer une saveur tropicale inédite. Un soda peu sucré idéal pour les chaudes journées d'été !

POUR 4 VERRES

200 g de chair de pastèque

100 g de chair d'ananas

750 ml d'eau pétillante

1 c à s de sirop d'agave

Couper la chair des fruits en morceaux et mixer à l'aide d'un mixeur plongeant. Filtrer à l'aide d'une petite passoire, en pressant avec une cuillère pour bien extraire le liquide de la pulpe et mélanger le liquide obtenu avec l'eau pétillante dans une carafe ou une bouteille. Sucrer avec le sirop d'agave. Conserver au frais. Déguster dans les 48 h.

IDÉE +

Remplacez l'ananas par du melon et supprimez le sirop d'agave pour un soda d'été 100 % cucurbitacées ! À servir avec un brin de menthe pour un effet encore plus rafraîchissant.

LIMONADE TOP SANTÉ

L'eau de coco est un ingrédient formidable. Si on passe outre ses pseudo-propriétés minceur, on peut se concentrer sur son réel intérêt pour la santé : sa grande richesse en minéraux qui en fait une alliée de choix pour lutter contre la déshydratation. Elle est d'ailleurs recommandée pour l'hydratation des enfants et des personnes âgées lors des fortes chaleurs, mais également comme boisson de l'effort pour les sportifs. Le jus de cranberry est, lui, particulièrement riche en antioxydants. Un soda gourmand ET qui nous fait du bien, que demander de plus ? Mais oui, la recette !

POUR 1 LITRE

300 ml jus de cranberry bio

le jus d'1 citron pressé

300 ml d'eau de coco

400 ml d'eau pétillante

en option : sirop d'agave

Mélanger tous les ingrédients dans une carafe et mélanger (ou dans une bouteille et secouer légèrement). Conserver au frais. Déguster dans les 48 h.

Si le jus de cranberry est sucré, ne pas ajouter de sucre ni de sirop d'agave. S'il ne l'est pas, 1 à 2 c à s de sirop d'agave suffiront à adoucir le litre de boisson.

IDÉE +

Remplacez le jus de cranberry par du jus de grenade, lui aussi très riche en antioxydants.

SODA ÉNERGIE PLUS

Orange-gingembre, c'est LE mélange détonant qui réveille les papilles et donne la pêche ! Décliné en soda, c'est un peu la version super saine de l'« energy drink » (qui fait partie des boissons industrielles les plus déconseillées tant son impact sur la santé – quand il est consommé à haute dose – présente des dangers). Un mélange sans aucun sucre ajouté, parfumé mais sans être trop fort, qui pourra donc être servi sans problème aux enfants.

POUR 4 VERRES

250 ml de jus d'oranges bio pressé

2 c à c de purée de gingembre

550 ml d'eau pétillante

Mélanger le jus d'orange fraîchement pressé avec la purée de gingembre et filtrer à l'aide d'une petite passoire. Verser le liquide obtenu dans une carafe ou une bouteille. Ajouter l'eau pétillante. Conserver au frais. Déguster dans les 48 h.

IDÉE +
En pleine saison, réalisez une version à l'orange sanguine, et si vous êtes fan d'infusions fruitées, remplacez l'eau pétillante par de l'eau chaude pour une infusion d'hiver hyper vitaminée.

VIRGIN MOJITO

Il serait bien dommage que l'association menthe-citron vert ne soit réservée qu'aux « drinks » alcoolisés. Je vous propose donc ici un mojito sans alcool très léger et vraiment désaltérant, qui sera apprécié à tout moment de la journée lors des fortes chaleurs, mais saura aussi se faire une place à l'heure de l'apéro pour remplacer les cocktails sans alcool souvent trop sucrés.

POUR 2 VERRES

1 c à s de sucre de canne blond

12 feuilles de menthe

1 citron vert

400 ml d'eau pétillante

2 poignées de glaçons

Dans une petite carafe (ou un shaker), verser le sucre, ajouter les feuilles de menthe et le citron coupé en quartiers. Écraser à l'aide d'un pilon pour bien mélanger les saveurs et pour dissoudre le sucre. Ajouter l'eau pétillante, mélanger et verser dans deux verres remplis chacun d'une petite poignée de glaçons. Déguster sans attendre.

IDÉE +
Ajoutez quelques fines lamelles de concombre pour un effet encore plus rafraîchissant !

6 –

INFUSIONS ET THÉS GLACÉS

Les thés et infusions offrent une mine de délicieuses possibilités pour profiter chaque jour des bienfaits des plantes en fonction de nos besoins. Surtout quand on choisit l'option sans sucres ajoutés ! Pour une réussite complète, reportez-vous aux pages 14-15 pour tout savoir sur les températures d'infusion à respecter !

EN SAVOIR PLUS

Thés glacés du commerce vs thés glacés maison

Les thés glacés du commerce, vendus au rayon des sodas, n'ont souvent de « thé » que le nom et en contiennent en fait très peu, par contre ils sont bourrés de sucres et d'arômes artificiels. On commence néanmoins à trouver des thés glacés moins sucrés et des infusions froides, mais on y retrouve souvent des jus de fruits concentrés et une bonne quantité de glucose (même si on est loin des sodas). La solution maison est ici encore une option de choix puisqu'elle est à la fois économique (moins d'1 € le litre), écologique (adieu bouteilles plastiques) et offre la possibilité de réaliser des boissons avec très peu - ou même sans - de sucres ajoutés. D'un point de vue gustatif enfin, les recettes qui suivent sont à mille lieues des boissons industrielles et permettent des mélanges très subtils dont les variations sont quasi infinies.

MÉTHODES ET CONSEILS

Il existe différentes manières de préparer du thé (ou de l'infusion) glacé, parmi lesquelles vous pourrez choisir selon le temps dont vous disposez et vos préférences gustatives. Il peut être intéressant de tester deux ou trois méthodes différentes pour un même thé (ou mélange de plantes) afin de goûter les différences.

Classique - méthode à chaud

- Faire frémir l'eau (entre 75 et 95°C selon le type de thé utilisé, respecter les conseils dispensés sur l'emballage).
- Ajouter la quantité de thé adaptée (on compte généralement 1 c à c de thé pour une tasse et 4 c à c pour une théière d'un litre), et laisser infuser le temps conseillé.
- Ôter le thé ou filtrer le liquide et le verser dans une carafe.
- Laisser refroidir.
- Ajouter selon le goût, des fruits ou un peu de jus de fruits (jus de citron et/ou d'orange et rondelles de citron).
- Sucrer éventuellement avec du sirop d'agave et servir avec des glaçons pour un effet bien rafraîchissant.

Cette méthode, qu'on trouve traditionnellement dans le sud des États-Unis, est plutôt adaptée aux thés noirs (nature ou aromatisés).

Cold brew - l'infusion à froid

C'est la méthode idéale pour des thés glacés légers, sans tanin, et donc avec une amertume moins importante. Il suffit de laisser infuser le thé dans de l'eau froide, à température ambiante ou au frais.

- Déposer 1 à 4 c à s de thé (ou mélange de plantes) dans une carafe et verser 1 litre d'eau. Plus on met de thé, plus on aura une infusion forte.
- Couvrir (pour éviter le dépôt de poussières, bactéries ambiantes, etc.) et laisser infuser à température ambiante ou au réfrigérateur. Au frais, l'infusion sera un peu plus lente mais cela permet d'obtenir une boisson bien fraîche et de préparer son thé glacé la veille pour le lendemain. L'infusion réalisée à température ambiante sera donc plus vite concentrée.
- Laisser infuser de 1 à 4 h à température ambiante ou jusqu'à 8 h au frais. Plus on infuse, plus l'infusion se corse.
- Filtrer et conserver dans une bouteille ou une carafe au frais. Les cafetières à pistons peuvent être détournées pour les thés et infusions à froid, il suffira de presser puis de servir le thé.
- On peut ajouter des morceaux de fruits frais (pêche, agrumes, fraises, etc.) et sucrer selon le goût - le sirop d'agave ou autre sucrant liquide étant idéal.
- Certains mélanges d'infusion comportent des fruits et permettent de créer des thés et infusions glacées très gourmandes qui n'auront souvent pas besoin d'être sucrées. Personnellement, j'aime réaliser des thés (ou infusions) glacés légers, très désaltérants, que je ne sucre pas et sirote en été tout au long de la journée.

Cette méthode est surtout recommandée pour les thés verts, parfumés, délicats comme les thés japonais et les infusions fruitées.

Les méthodes japonaises - avec glace

Au Japon, il existe enfin deux autres méthodes pour réaliser des thés glacés.

1. La méthode « flash » : on réalise une infusion très corsée que l'on va refroidir immédiatement avec une grande quantité de glaçons qui vont, en fondant, diluer l'infusion et offrir une liqueur très légère à la saveur préservée (cette méthode est parfois utilisée dans des salons de thé).

- Verser environ 1,5 c à s de thé vert japonais (sencha, gyokuro...) dans une petite théière.
- Ajouter 200 ml d'eau chaude (75-80°C) et laisser infuser 2 à 3 min (pour obtenir un thé assez fort). Remplir deux verres de glaçons et verser le thé en répartissant équitablement.
- Laisser refroidir 1 à 2 min, le résultat est très rapide

2. La méthode d'infusion sur glace : on place du thé dans la théière et on recouvre de glace. On laisse la théière à température ambiante. Quand la glace est fondue, le thé glacé est prêt.

- Verser 1,5 c à s de thé vert japonais dans une petite théière (400 ml à 500 ml environ).
- Remplir de glaçons et laisser reposer à température ambiante.
- Quand tous les glaçons ont fondu, filtrer et servir.

Ces méthodes conviennent particulièrement aux thés japonais mais peuvent être appliquées aux autres thés. Pour les autres thés verts, souvent plus amers, diminuer la quantité de thé ou augmenter celle de l'eau en passant par exemple de 100 à 200 ml.

Le thé vert japonais se prête particulièrement à la technique d'infusion à froid, développant alors des saveurs bien équilibrées, riches en propriétés antioxydantes. Très désaltérant, c'est la boisson idéale à emporter avec soi lorsqu'il fait chaud.

SENCHA COLD BREW

(voir recette page suivante)

Ball

SENCHA COLD BREW

POUR 1 LITRE

3 c à s de thé sencha

1 litre d'eau bouillante

En option : fruits frais ou séchés, fleurs séchées...

Dans une carafe ou un grand bocal, verser le thé et ajouter l'eau. Laisser infuser 1 à 2 h à température ambiante et jusqu'à 4 h au frais. Filtrer et déguster dans les 48 h. Le thé pourra être infusé une deuxième fois selon la même méthode. On peut aussi utiliser moitié moins de thé pour une infusion plus légère ou pour infuser toute la nuit au frais. Enfin, le thé pourra être parfumé en ajoutant des morceaux de fruits frais ou séchés, des fleurs... Dans ce cas, utiliser seulement 1,5 c à s de thé.

THÉ GLACÉ EXPRESS

Une boisson fleurie et fruitée au délicat parfum de printemps, tout indiquée pour les premières chaleurs, les goûters gourmands et les pique-niques sous les arbres. On utilise ici la méthode de refroidissement rapide sur glace pour une boisson prête en 5 minutes chrono.

POUR 2 VERRES

8 g de thé vert au jasmin (4 sachets individuels)

4 fraises

300 ml d'eau

1 grand bol de glaçons

en option : quelques morceaux de fraises fraîches

Dans une théière, verser le thé (ou déposer les sachets) et ajouter les fraises écrasées. Verser 300 ml d'eau à 80°C et laisser infuser 3 min. Découper les fraises en quartiers. Remplir 2 grands verres de glaçons. Verser le thé en filtrant dans les verres. Déguster.

IDÉE +

Vous pouvez ajouter des morceaux de fraises fraîches pour décorer le verre, à croquer tout en sirotant la boisson.

China
JASMINE TEA
FUJIAN CHINA

INFUSION CARMIN

Une infusion digestive et relaxante grâce à la citronnelle et à la verveine, mais également antioxydante et anti-inflammatoire grâce aux fleurs d'hibiscus qui lui confèrent une jolie couleur rose et un délicieux goût acidulé. À servir chaude ou glacée selon vos préférences.

POUR 1,2 LITRE

2 c à s de fleurs d'hibiscus séchées

1 c à s de feuilles de citronnelle séchées

2 c à s de verveine séchée

1,2 litre d'eau bouillante

en option : sucre de canne blond ou sirop d'agave

Dans une carafe, verser les plantes et ajouter l'eau bouillante. Laisser infuser pendant 5 à 10 min puis filtrer et servir. L'infusion peut être dégustée chaude ou froide et pourra être mélangée à de l'eau pour créer une eau aromatisée légèrement acidulée. Elle peut être sucrée selon le goût, à l'aide de sucre lorsqu'elle est chaude ou de sirop si elle est froide. Enfin, elle peut être servie glacée sans attendre en la versant sur un lit de glaçons. Déguster dans la journée.

MATÉ GLACÉ AUX AGRUMES

Largement consommé en Amérique du Sud, le maté a des propriétés énergisantes et anti-oxydantes. Légèrement amer, il peut être adouci en y ajoutant des fruits.

POUR 1 CARAFE

3 c à s de feuilles de yerba maté

2 oranges

1 citron

1 litre d'eau à 75°C

en option : sirop d'agave

Faire infuser le maté 5 min dans une carafe avec les agrumes. Filtrer et sucrer au sirop d'agave selon le goût si besoin. Laisser refroidir et/ou servir sur glace selon vos préférences (plus corsé pour un maté refroidi à température ambiante, plus léger pour un maté refroidi sur glace).

THÉ DES AMIS

C'est l'une des premières recettes de boisson que j'ai apprises grâce à des amis lorsque j'étais adolescente. Depuis, je ne prépare le thé à la menthe qu'avec de la cardamome, ce mélange de saveurs est enchanteur et rafraîchissant.

POUR 4 À 6 PERSONNES

1,5 c à s de thé vert «gunpowder»

12 gousses de cardamome

20 grandes feuilles de menthe marocaine

1 litre d'eau à 85°C

sucre de canne selon le goût

Verser le thé dans une théière ou une carafe, ajouter les gousses de cardamome en les ouvrant puis la menthe lavée. Couvrir d'eau. Laisser infuser 3 à 5 min selon le goût. Filtrer et sucrer selon le goût à l'aide du sucre de canne. Servir chaud, éventuellement avec des pignons de pin ou glacé en versant directement le thé dans des verres remplis de glaçons.

INFUSION FLEURIE

Besoin d'un moment de détente et de douceur ? Cette infusion aux fleurs est ce qu'il vous faut. La rose et la fleur d'oranger ont des propriétés apaisantes et relaxantes parfaites pour vous aider à vous détendre le soir en cas d'anxiété. Les fleurs de sureau, quant à elles, sont anti-oxydantes, anti-inflammatoires et antivirales, idéales pour booster la forme pendant les périodes de fatigue.

POUR 1 CARAFE

3 c à s de fleurs de rose séchées

1 c à s de boutons de fleurs d'oranger séchés

1,5 c à s de fleurs de sureau séchées

850 ml d'eau à 100°C

en option : sirop d'agave

Mélanger les fleurs séchées dans une carafe, verser l'eau et infuser 5 à 10 minutes. Filtrer et déguster.
Si vous le désirez, vous pouvez très légèrement sucrer cette infusion à l'aide de sirop d'agave, directement dans la tasse.

Ball
MASON

ICED ROOIBOS

Un thé glacé au style et saveurs très classiques mais sans théine, qui pourra donc être consommé toute la journée. Grâce à l'action apaisante et digestive de l'huile essentielle de bergamote, cette boisson sera un vrai moment de détente.

POUR 1 PICHET

3 c à s de rooibos

1/4 de c à c de vanille en poudre ou 1/2 c à c d'extrait de vanille liquide

3 gouttes d'huile essentielle de bergamote

500 ml d'eau bouillante

1 citron

1 orange

1 pichet rempli de glaçons

sirop d'agave

Dans une carafe ou une théière, verser le rooibos, la vanille et ajouter l'huile essentielle de bergamote. Verser l'eau bouillante et laisser infuser 3 à 5 min. Trancher les agrumes en rondelles. Remplir un pichet de glaçons et de rondelles d'agrumes. Filtrer en versant dans le pichet, laisser refroidir quelques minutes et servir.

7 –

BOISSONS DU MONDE

Pour clôturer ce livre, place aux boissons stars du monde entier. Afrique, Amérique, Inde ou Europe, quel que soit le continent que l'on visite, on y savoure des spécialités délicieuses souvent riches en ingrédients santé, que l'on peut reproduire facilement à la maison. Petit tour du monde gourmand et éclectique pour faire voyager nos papilles.

Attention ! Les recettes présentées dans les pages qui suivent sont un peu plus sucrées que celles des autres chapitres.
À réserver donc en priorité aux occasions particulières.

EN SAVOIR PLUS

Thé, café, chocolat, sucre de canne, vanille : pour un commerce équitable

Le choix des ingrédients se fait souvent sur plusieurs critères : celui du prix, de la qualité gustative, de la santé et de l'écologie (bio, sans pesticides...). Un autre critère important à prendre en compte est la manière dont sont rémunérées et traitées les personnes qui les produisent. Chocolat et café sont encore, dans certaines régions, récoltés par des enfants et vendus par de grandes entreprises aux bénéfices colossaux. D'autres entreprises font à l'inverse le choix d'un commerce plus équitable en assurant une certaine rémunération et des conditions de travail correctes aux producteurs et cueilleurs. Elles bannissent également certaines pratiques comme le travail des enfants et financent parfois des programmes d'éducation locaux pour assurer aux enfants des producteurs un accès à l'école. Il va sans dire que si notre budget le permet, il est préférable d'opter pour ces produits plus solidaires et respectueux de ceux qui font pousser, qui récoltent ou transforment ces ingrédients qui nous régalent.

Les boissons traditionnelles du monde, sources d'inspiration pour la cuisine saine

La cuisine saine occidentale s'inspire beaucoup des pratiques traditionnelles du monde entier. Elle se nourrit aussi des pratiques thérapeutiques locales comme l'ayurvéda, la médecine chinoise ou d'autres traditions dans lesquelles les ingrédients naturels jouent un rôle de premier plan dans la prévention des maladies ou le soin. C'est le cas notamment des super-aliments, qui sont utilisés depuis la nuit des temps par certains peuples pour leurs bienfaits sur la santé. Mais les multinationales sont souvent très promptes à se saisir des modes et nouveautés alimentaires et à s'approprier savoirs et traditions pour faire des bénéfices, quitte à mettre en péril des équilibres millénaires. Un exemple parmi d'autres : la stévia. Cette plante au pouvoir édulcorant traditionnellement employée par les peuples Guarani et Paî Tavyterâs pour adoucir le maté ou traiter certains troubles a été synthétisée par les industriels afin de lancer sur le marché du light, à grands coups de marketing, un nouvel agent sucrant et redorer le blason des sodas allégés par un ingrédient « sain » qui n'a plus rien à voir avec la plante originelle puisque synthétisée en glycoside de stéviol. Les Guaranis ont ainsi été purement dépossédés de leur savoir par l'industrie agroalimentaire qui engendre des bénéfices gigantesques sans bien sûr leur reverser un centime. La cuisine saine devrait aussi être une cuisine éthique, qui ne se contente pas de piller ici et là des savoirs et ressources ancestraux mais qui s'engage dans un échange juste en respectant les populations et les traditions dont sont issus ces ingrédients et recettes qui nous font du bien.

MASALA CHAI

Le thé noir indien aux épices (masala = mélange d'épices et de chai - prononcer « tchaï » = thé) est devenu très populaire en Occident car on le trouve dans les chaînes de salons de café qui essaiment dans les grandes villes du monde. Servi sucré et avec du lait chaud, c'est une boisson très réconfortante qui sera particulièrement appréciée l'hiver et lors des fêtes (les saveurs de nos « thés de Noël » sont très proches du masala chai).

POUR 2 TASSES

2 c à c de thé noir de type english breakfast (un thé noir un peu fort)

2 ou 3 pincées de cannelle en poudre

1 petit morceau de gingembre frais

3 à 4 gousses de cardamome

1 pincée de poivre noir

1 pincée de muscade moulue

250 ml d'eau

200 ml de lait végétal au choix (amande, noisette, soja, avoine...)

en option : sucre de canne blond

Verser les épices dans une casserole, ajouter l'eau et porter à feu vif. Laisser frémir environ 5 min. Baisser à feu très doux. Ajouter le thé en vrac et laisser infuser 2 à 3 min. Ajouter le lait, le sucre selon le goût et remonter à feu vif quelques secondes. Filtrer à l'aide d'une passoire. Laisser tiédir quelques minutes et déguster chaud.

GLÖGG SANS ALCOOL

Fameux vin chaud suédois, le glögg (qui comprend souvent de l'alcool fort type vodka ou rhum) se prépare l'hiver à l'occasion des fêtes de fin d'année. Pour que chacun puisse en profiter quel que soit son âge, je vous propose une version sans alcool, à base de jus de raisin, tout aussi parfumée et délicieuse.

POUR 1 LITRE

750 ml de jus de raisin rouge

250 ml d'eau

1 orange bio

1 morceau de gingembre frais pelé de 15 g

2 bâtons de cannelle

4 étoiles de badiane

4 clous de girofle

10 gousses de cardamome

en option :
4 c à s de raisins secs
2 c à s d'amandes hachées

Couper le gingembre frais en lamelles. Prélever le zeste de l'orange avec un économe pour obtenir de larges bandes. Trancher l'orange et réserver. Dans une casserole moyenne, faire chauffer à feu moyen le jus de raisin rouge et l'eau avec le zeste d'orange, le gingembre, les bâtons de cannelle, la badiane, les clous de girofle et la cardamome. Baisser le feu et laisser infuser environ 15 min à feu doux. Filtrer et servir avec les rondelles d'oranges réservées.

IDÉE +
Si vous le désirez, ajoutez des raisins préalablement macérés dans un peu de thé chaud et les amandes hachées.

SOBACHA

La première fois qu'on goûte au sobacha (en japonais, soba : sarrasin, cha : thé) c'est une véritable expérience sensorielle. En France, nous connaissons surtout le sarrasin à travers les galettes bretonnes, cette infusion est donc très surprenante pour nos papilles. Grâce à son goût irrésistible, la surprise laisse vite place à la gourmandise et on se réjouit de pouvoir profiter de cette infusion sans théine toute la soirée.

POUR 1 BOCAL
DE SOBACHA À INFUSER

200 g de graines de sarrasin décortiqué

Dans une grande poêle, à feu moyen faire griller à sec des grains de sarrasin pendant 5 min en mélangeant régulièrement avec une spatule en bois. Les grains doivent prendre une belle couleur brune et dégager une bonne odeur grillée sans toutefois brûler. Laisser refroidir et conserver dans un bocal en verre. Pour réaliser une tasse d'infusion, déposer 1 c à c de grains de sarrasin dans une tasse et ajouter 200 à 250 ml d'eau frémissante, laisser infuser 5 bonnes min et déguster.

HORCHATA DE CHUFA

Quand on goûte pour la première fois aux graines de souchet (appelées aussi noix tigrées), on est surpris par leur saveur d'amande très gourmande comme par leur texture ferme et fibreuse. Cette boisson fraîche, dégustée traditionnellement en Espagne, offre un lait aux saveurs réconfortantes, délicatement parfumé à la cannelle. À découvrir !

POUR 2 GRANDS OU 4 PETITS VERRES

1 tasse de souchets secs

600 ml d'eau

2 pincées de cannelle moulue

2 pincées de vanille moulue

sirop d'agave selon le goût

Faire tremper les souchets dans un grand bol d'eau pendant 48 h (changer l'eau 2 fois par jour). Bien les rincer plusieurs fois en frottant sous l'eau tiède pour retirer les éventuels résidus de terre. Dans le dernier bain, l'eau de trempage doit être limpide. Verser les souchets et l'eau dans le bol du blender ou mixeur plongeant et mixer en faisant des pauses pour obtenir une boisson légèrement granuleuse. Ajouter les épices et bien mixer de nouveau. Placer au frais pendant 1 h environ. Filtrer à l'aide d'une étamine ou d'un sac à lait végétal. Déguster dans les 24 h et conserver au frais.

IDÉE +

Pour une boisson encore plus fraîche, on peut ajouter des glaçons.

winter LARDER
ANANDA'S
KANEL

LONDON FOG

Depuis que j'ai découvert cette boisson dans les cafés vegan de Montréal j'en suis dingue ; l'association Earl Grey et latte est tout bonnement renversante. Originaire de Vancouver, la boisson est désormais populaire dans tout le Canada et même en Europe.

POUR 2 TASSES

1 c à s de thé Earl Grey

250 ml d'eau

250 ml de lait de soja (ou autre lait végétal)

1,5 c à s de sirop d'agave

1/4 de c à c de vanille en poudre

Dans une petite théière, faire infuser le thé avec de l'eau frémissante pendant 3 à 4 min. Pendant ce temps, faire chauffer le lait de soja dans une petite casserole à feu moyen (il ne doit pas bouillir). Mélanger le sirop d'agave dans une petite coupelle avec la vanille pour créer un sirop à la vanille. Verser le thé (en le filtrant) dans deux tasses, sucrer selon le goût avec le sirop à la vanille et ajouter le lait chaud. Rectifier l'assaisonnement en sucre si besoin. Pour créer une jolie mousse de lait, utiliser un mousseur électrique. Le lait de soja mousse très bien, les autres laits végétaux beaucoup moins. Servir et déguster sans attendre.

BISSAP

Également appelé « karkadé » ou « da bilenni », le jus de bissap – largement consommé dans plusieurs pays d'Afrique de l'Ouest (Sénégal, Guinée, Mali, Burkina Faso, Côte d'Ivoire...) – est concocté à partir de fleurs d'hibiscus. Très appréciée lors des fêtes, cette boisson rafraîchissante et acidulée possède de nombreuses vertus santé. La fleur d'hibiscus est en effet connue pour être antioxydante, anti-inflammatoire, digestive, antiseptique, et riche en vitamines... Qui dit mieux ? Ah, j'oubliais : si l'on en boit régulièrement, l'infusion ou le jus d'hibiscus aide à faire baisser la tension artérielle. Tant de bienfaits dans une boisson aussi délicieuse, pourquoi se priver ?

POUR ENVIRON 1 LITRE

1 litre d'eau

10 g de fleurs d'hibiscus séchées

10 g de gingembre frais pelé

20 feuilles de menthe

sirop d'agave selon le goût

Dans une casserole de taille moyenne, verser l'eau, ajouter les fleurs d'hibiscus, le gingembre et la menthe et porter à ébullition. Baisser à feu moyen et cuire 10 min. Sortir du feu, filtrer et laisser refroidir. Sucrer selon le goût avec du sirop d'agave.

CHERRY COLA

Pour terminer en beauté ces recettes de boissons saines et gourmandes, quoi de plus emblématique que de revisiter le cola dans une version moins sucrée, aux arômes 100 % naturels et en ajoutant des cerises fraîches pour un délicieux cherry cola ?

POUR UN LITRE

100 g de cerises noires ou griottes dénoyautées

4 c à s d'eau

1 citron

1 orange

1/4 de c à c de vanille en poudre

1/8 de c à c de cannelle en poudre

1 pincée de muscade en poudre

1 petite bouteille de nappage caramel bio

1 litre d'eau pétillante

Dans une petite casserole, mélanger les cerises et l'eau. Porter à feu vif. Quand les cerises commencent à cuire, mettre à feu doux. Ajouter le zeste des agrumes (utiliser une râpe de type Microplane, pour ne prélever qu'un très fin zeste et éviter toute amertume) et réserver le citron. Ajouter les épices et 3 c à s de nappage caramel, bien mélanger et laisser cuire quelques minutes. Filtrer à l'aide d'un tamis très fin et verser dans une carafe. Laisser refroidir totalement. Presser 1 demi-citron réservé. Ajouter le jus et l'eau pétillante au contenu de la carafe. Sucrer selon le goût avec le nappage caramel. Se conserve 2 jours au maximum dans une bouteille fermée au réfrigérateur. Servir frais.